Vida contemplativa

Byung-Chul Han

Vida contemplativa
Elogio de la inactividad

Traducción de Miguel Alberti

Papel certificado por el Forest Stewardship Council®

Título original: *Vita contemplativa*

Primera edición: enero de 2023
Sexta reimpresión: noviembre de 2024

© 2022, Ullstein Buchverlage GmbH, Berlin. Publicado en 2022 por Ullstein Buchverlage
© 2023, Penguin Random House Grupo Editorial, S. A. U.
Travessera de Gràcia, 47-49. 08021 Barcelona
© 2023, Miguel Alberti, por la traducción

Penguin Random House Grupo Editorial apoya la protección de la propiedad intelectual. La propiedad intelectual estimula la creatividad, defiende la diversidad en el ámbito de las ideas y el conocimiento, promueve la libre expresión y favorece una cultura viva. Gracias por comprar una edición autorizada de este libro y por respetar las leyes de propiedad intelectual al no reproducir ni distribuir ninguna parte de esta obra por ningún medio sin permiso. Al hacerlo está respaldando a los autores y permitiendo que PRHGE continúe publicando libros para todos los lectores. De conformidad con lo dispuesto en el artículo 67.3 del Real Decreto Ley 24/2021, de 2 de noviembre, PRHGE se reserva expresamente los derechos de reproducción y de uso de esta obra y de todos sus elementos mediante medios de lectura mecánica y otros medios adecuados a tal fin. Diríjase a CEDRO (Centro Español de Derechos Reprográficos, http://www.cedro.org) si necesita reproducir algún fragmento de esta obra.

Printed in Spain – Impreso en España

ISBN: 978-84-306-2562-8
Depósito legal: B-19.245-2022

Compuesto en Arca Edinet, S. L.
Impreso en Huertas Industrias Gráficas, S. A.
Fuenlabrada (Madrid)

TA 2 5 6 2 A

ÍNDICE

Consideraciones sobre la inactividad 11
Una nota marginal a propósito de Zhuangzi . . . 39
De la acción al ser 43
La absoluta falta de ser 63
El *páthos* de la acción 77
La sociedad que vendrá 107

Notas 121

Tú
tú enseñas
tú enseñas a tus manos
tú enseñas a tus manos tú enseñas
tú enseñas a tus manos
a dormir.

> PAUL CELAN

Estamos hechos de la misma materia que los sueños, y nuestra pequeña vida cierra su círculo con un sueño.

> WILLIAM SHAKESPEARE

Renuncié antes de nacer.

> SAMUEL BECKETT

CONSIDERACIONES SOBRE LA INACTIVIDAD

Nos estamos asemejando cada vez más a esas personas activas que «ruedan como rueda la piedra, conforme a la estupidez de la mecánica».[1] Dado que solo percibimos la vida en términos de trabajo y de rendimiento, interpretamos la inactividad como un déficit que ha de ser remediado cuanto antes. La existencia humana en conjunto está siendo absorbida por la actividad. Como consecuencia de ello, es posible explotarla. Vamos perdiendo el sentido para la inactividad, la cual no implica una incapacidad para la actividad, o su rechazo, o su mera ausencia, sino que constituye una capacidad autónoma. La inactividad tiene su lógica propia, su propio lenguaje, su propia temporalidad, su propia arquitectura, su propio esplendor, incluso su propia magia. No es una forma de debilidad, ni una falta, sino una forma de *intensidad* que, sin embargo, no es percibida ni reconocida en nuestra sociedad de la actividad y el rendimiento. No estamos accediendo ni a los dominios de la inactividad ni a sus riquezas. La inactividad es una *forma de esplendor* de la existencia humana. Hoy se ha ido difuminando hasta volverse una *forma vacía* de actividad.

En las relaciones de producción capitalistas, la inactividad regresa como un *afuera cerrado*. La llamamos «tiempo libre». Dado que este es útil para el descanso del trabajo, permanece presa de su lógica. En cuanto *derivado del trabajo*, es un elemento funcional en el seno de la producción. Con ello se hace desaparecer el *tiempo* realmente *libre*, que no pertenece al orden del trabajo y la producción. Ya no conocemos aquel reposo sagrado y festivo que «reúne intensidad vital y contemplación y que incluso es capaz de reunirlas cuando la intensidad vital llega al desenfreno».[2] El «tiempo libre» carece tanto de la intensidad vital como de la contemplación. Es un tiempo que matamos para impedir que surja el tedio. No es un *tiempo* realmente *libre, vivo*, sino un *tiempo muerto*. Una vida intensa hoy implica, sobre todo, más rendimiento o más consumo. Hemos olvidado que la inactividad, que no produce nada, constituye una forma intensa y esplendorosa de la vida. A la obligación de trabajar y rendir se le debe contraponer una *política de la inactividad* que sea capaz de producir un *tiempo* verdaderamente *libre*.

La inactividad forma lo *humanum*. Lo que vuelve auténticamente humano al hacer es la cuota de inactividad que haya en él. Sin un momento de vacilación o de interrupción, la acción [*Handeln*] se rebaja a ciega acción [*Aktion*] y reacción. Sin calma, se produce una nueva barbarie. El callar le da profundidad al habla. Sin silencio no hay música, sino nada más que ruido y alboroto. El juego es la esencia de la belleza. Allí donde solo reina el esquema de estímulo y reacción, necesidad y satisfacción, problema y solución, propósito y acción, la vida degenera en supervivencia, en desnuda vida animal. La vida solo recibe su resplandor de la inactividad. Si se nos pierde la inactividad en cuanto capacidad, nos pareceremos a una máquina que solo tiene que *funcionar*. La verdadera vida comienza en el momento en que termina la preocupación por la supervivencia, la urgencia de la pura vida. El fin último de los esfuerzos humanos es la inactividad.

La acción es constitutiva de la historia, sin duda, pero no es una fuerza formadora de cultura. El origen de la cultura no es la guerra, sino la fiesta; no es el arma, sino el adorno. La historia y la cultura no son coincidentes. La cultura no se forma con caminos que van directos hacia la meta, sino por digresiones, por excesos y desvíos. La esencia de la cultura es *ornamental*. Tiene su sede por fuera de la funcionalidad y de la utilidad. Con lo ornamental, que se emancipa de toda meta y todo uso, la vida insiste en que es más que la supervivencia. La vida recibe su resplandor divino de aquella *decoración absoluta* que no adorna nada: «Que el [B]arroco sea decorativo no lo dice todo. Es *decorazione assoluta*, como si esta se hubiera emancipado de todo fin, incluso del teatral, y desarrollado su propia ley formal. La decoración absoluta ya no adorna nada, sino que no es nada más que adorno».[3]

En el *sabbat* toda actividad debe reposar. No está permitido proseguir con ningún negocio. La inactividad y la suspensión de la economía son esenciales para la fiesta del *sabbat*. El capitalismo, por el contrario, transforma incluso la fiesta en mercancía. La fiesta se transforma en eventos y espectáculos. Carecen del reposo contemplativo. En cuanto formas de consumo de la fiesta, no establecen una comunidad. En su ensayo *La sociedad del espectáculo*, Guy Debord describe el presente como una época sin fiestas: «Esta época, que exhibe ante sí misma su tiempo como si fuera el retorno precipitado de una multitud de festividades, es también una época sin fiestas. Lo que en el tiempo cíclico era el momento de participación de una comunidad en la dilapidación lujuriosa de la vida, es imposible en una sociedad sin comunidad y sin lujo».[4]

La época sin fiestas es una época sin comunidad. Hoy se evoca por todas partes la *community*, pero esta es una forma mercantil de comunidad. No permite que surja ningún *nosotros*. El consumo desatado aísla y aleja a las personas. Los consumidores están solos. También la comunicación digital resulta ser una comunicación sin comunidad. Los medios sociales aceleran la desintegración de la comunidad. El capitalismo transforma el propio tiempo en una mercancía. Con lo cual, este pierde toda festividad. A propósito de la comercialización del tiempo, Debord señala que «la realidad del tiempo ha sido sustituida por la *publicidad* del tiempo».[5]

Junto con la comunidad, otro rasgo constitutivo de la fiesta es el lujo. Este último anula las limitaciones económicas. En su calidad de vivacidad reforzada, de intensidad, el lujo es un luxarse, es decir, un salirse, un desviarse de la necesidad y de las necesidades de la pura vida. El capitalismo, por el contrario, absolutiza la supervivencia. Y cuando la vida degenera en supervivencia, el lujo desaparece. Ni siquiera el más alto rendimiento llega hasta él. El trabajo y el rendimiento pertenecen al orden de la supervivencia. No existe una acción que tenga la forma del lujo, puesto que la acción se basa en una carencia. En el capitalismo incluso el lujo se consume: adopta la forma de una mercancía y pierde su carácter festivo y su resplandor.

El lujo, para Theodor W. Adorno, es el símbolo de una felicidad auténtica malograda por la lógica de la eficiencia. La eficiencia y la funcionalidad son formas de la supervivencia. El lujo las deja sin efecto: «La técnica desencadenada elimina el lujo [...]. El tren rápido que atraviesa el continente en dos días y tres noches es un milagro, pero el viaje en él nada tiene del extinto esplendor del *train bleu*. Lo que constituía el placer de viajar, empezando por las señales de despedida a través de la ventanilla abierta y continuando por la atenta solicitud de los que recibían las propinas, el ceremonial de la comida y la sensación constante de estar gozando de un privilegio que nada quita a nadie, todo eso ha desaparecido juntamente con la gente elegante que antes de la partida solía pasear por los *perrons* y que ahora es inútil buscar en los *halls* de los más distinguidos hoteles».[6] La verdadera felicidad se debe a lo vano e inútil, a lo reconocidamente poco práctico, a lo improductivo, a lo propio del rodeo, a lo desmedido, a lo superfluo, a las formas y a los gestos bellos que no tienen utilidad y que no sirven para nada. Andar paseando parsimoniosamente, comparado con el caminar, correr o marchar hacia algún lado, es un lujo. El *ceremonial de la inactividad* es: *hacemos, pero para nada*. Este *para-nada*, esta libertad con respecto a la finalidad y la utilidad, es la esencia de la inactividad. Y es la fórmula fundamental de la felicidad.

La inactividad caracteriza al *flâneur* de Walter Benjamin: «La peculiar indecisión del *flâneur*. Del mismo modo que aguardar es el estado propio del contemplativo inmóvil, parece que la duda lo es del *flâneur*. En una elegía de Schiller se dice: "Las alas indecisas de la mariposa"».[7] Tanto el aguardar como la duda son figuras de la inactividad. Sin el momento de la duda, el andar del ser humano se asemeja a una marcha. Como al ala de la mariposa, es la vacilación lo que le otorga su encanto. La resolución o el apuro le quitan cualquier gracia. El *flâneur* hace uso de la capacidad de *no actuar*. No persigue ningún fin. Se entrega sin pensar al espacio que le «guiña el ojo», al «magnetismo de la próxima esquina, de una plaza lejana en la niebla, de la espalda de una mujer que camina delante».[8]

La fiesta se contrapone al trabajo en la medida en que se libera por completo del para-algo, de la finalidad y la utilidad a las que el trabajo está sometido. La libertad del para-algo confiere a la existencia humana festividad y resplandor. Por ejemplo, el andar: liberado del para-algo, del caminar resuelto hacia algún lado, se convierte en una danza: «¿Qué es la danza sino liberación del cuerpo de sus movimientos utilitarios, exhibición de los gestos en su pura inoperosidad?».[9] Las manos, liberadas del para-algo, tampoco *agarran. Juegan.* O forman *meros gestos* que *no apuntan en dirección a nada.*

El fuego, liberado de los quehaceres prácticos, excita la fantasía. Se transforma en un medio de la inactividad: «El fuego encerrado en el hogar fue sin duda para el hombre el primer tema de ensoñación, el símbolo del reposo, la invitación al descanso. [...] Según nosotros, renunciar a la ensoñación ante el fuego es renunciar al uso verdaderamente humano y primero del fuego. [...] No se recibe el bienestar del fuego si no se colocan los codos sobre las rodillas y la cabeza entre las manos. Esta postura viene de lejos. El niño, cerca del fuego, la toma espontáneamente. No es por casualidad la actitud del pensador. Determina una atención muy particular, que nada tiene de común con la atención del que acecha o del que observa. [...] Cerca del fuego es necesario sentarse; descansar».[10] Al fuego se lo vincula frecuentemente con el *páthos* prometeico del hecho y la acción. El psicoanálisis del fuego de Bachelard, en cambio, pone al descubierto su dimensión contemplativa. La actitud que adopta el ser humano frente al fuego, ya desde niño, ilustra su inclinación originaria hacia la contemplación. La inactividad contemplativa diferencia al pensador del vigía o el observador que siempre persigue un objetivo concreto. El pensador, por el contrario, está *sin propósito*, no tiene *ningún objetivo en mente.*

En sus *Quaestiones convivales* [*Charlas de sobremesa*], Plutarco informa de la expulsión ritual de la bulimia (*boulímou exélasis*).[11] Lo que se ahuyenta es el devorar incesante e insaciable del ganado. De acuerdo con la lectura de Agamben, el ritual persigue el propósito de «expulsar una cierta forma de comer (el devorar o el tragar como hacen las bestias, para saciar un hambre por definición insaciable) y abrir así el espacio a otra modalidad de alimentarse, aquella humana y festiva, que puede empezar precisamente solo cuando el "hambre de buey" ha sido expulsada».[12] La fiesta está libre de la necesidad de la pura vida. El banquete no sacia, no aquieta el hambre. El comer se pone en modo contemplativo: «Es decir, comer no como *melacha*, actividad destinada a un fin, sino como inoperosidad y *menucha*, sábado del alimento».[13]

Las prácticas rituales en las que la inactividad tiene un papel esencial nos elevan por encima de la pura vida. El ayuno y el ascetismo se disocian terminantemente de la vida como supervivencia, de la urgencia y la necesidad de la pura vida. Constituyen formas del lujo. Ello les confiere su carácter festivo. Es el reposo contemplativo lo que los destaca. Para Benjamin, el ayuno es una iniciación en el «secreto de comer».[14] Aguza los sentidos de un modo tal que estos descubren aromas ocultos en cualquier alimento, por simple que este sea. Benjamin afirmó, con respecto a una vez en que, en Roma, se vio sumido de forma involuntaria en un estado de ayuno, que «sentía que aquí tenía la posibilidad única de enviar a mis sentidos, que iban en jauría como perros, a los pliegues y quebradas de los platos crudos más simples, del melón, del vino, de los diez tipos de panes, de las nueces, para presentarles un aroma que nunca habían percibido».[15] El ayuno ritual *renueva* la vida al reactivar los sentidos. Le devuelve a la vida su vivacidad, su esplendor. Cuando se lo practica por mandato de la salud, en cambio, el ayuno se pone al servicio de la supervivencia. Con lo cual pierde la dimensión contemplativa, festiva. Su cometido es optimizar la vida desnuda para hacer que funcione mejor. Incluso el ayuno encarna ahora una forma de la supervivencia.

La inactividad en cuanto tal es un *ayuno espiritual*. De ahí que de ella provenga un efecto curativo. La obligación de producir transforma la inactividad en una forma de actividad para poder explotarla. Y así, entretanto, también el dormir se considera una actividad. La así llamada *power nap* constituye una forma de actividad propia del dormir. Incluso los sueños son desguazados. La técnica de los «sueños lúcidos» inducidos conscientemente sirve para optimizar destrezas corporales y espirituales mientras dormimos. Prolongamos la obligación de rendimiento y optimización hasta las horas de sueño. Es posible que el ser humano se deshaga en el futuro tanto del dormir como del sueño, puesto que ya no le parecerán eficientes.

«Mucho tiempo he estado acostándome temprano», así dice la célebre frase inicial de la *Recherche* de Marcel Proust. En francés «temprano» es «de bonne heure»: «Longtemps[,] je me suis couché de bonne heure». El dormir da inicio a la hora de dicha («bonheur»). En el dormir comienza aquella «hora más verídica en que mis ojos se cerraron a las cosas exteriores».[16] El dormir es un *medio de la verdad*. Solo en la inactividad divisamos la verdad. El dormir revela un verdadero mundo interior detrás de las cosas del mundo exterior, que serían solo una apariencia. La persona que está soñando se sumerge en los estratos más profundos del ser. Proust considera que la vida está tendiendo ininterrumpidamente en su interior nuevos hilos entre acontecimientos y formando un denso tejido de relaciones en el que nada está aislado de lo demás. La verdad es un fenómeno relacional. Provoca *consensos* por todos lados. La verdad se produce en el instante en que el escritor «tom[a] dos objetos distintos, plantea su relación» o «así como en la vida, cuando al relacionar una cualidad común a dos sensaciones, desprend[e] su esencia, reuniéndolas a una y otra, para sustraerlas a las contingencias del tiempo».[17]

El dormir y el sueño son sedes privilegiadas de la verdad. Suspenden las separaciones y los límites que gobiernan el estado de vigilia. Las cosas revelan su verdad en «el sueño muy vivo y creador del inconsciente (sueño en el que se concluyen de grabar las cosas que solo nos han rozado; en el que las manos dormidas se apoderan de la llave que abre, inútilmente buscada hasta entonces)».[18] La actividad y la acción son ciegas a la verdad. Solo tocan la superficie de las cosas. Las manos orientadas a la acción buscan, pero no encuentran, la llave de la verdad. Esta recae, más bien, sobre manos dormidas.

La *Recherche* de Proust es un único sueño extendido largamente. La *mémoire involontaire* en cuanto epifanía, en cuanto fuente de la felicidad, tiene su sede en el reino de la inactividad. Se parece a aquella puerta que se abre como por arte de magia. La felicidad no pertenece al orden del saber o al orden causal. La felicidad tiene algo de hechicería y magia: «Pero a veces es en el momento en que todo nos parece perdido que llega la advertencia que puede salvarnos: uno ha llamado a todas las puertas que no dan a ninguna parte y la única por donde uno puede entrar y que en vano se hubiera buscado durante cien años, la golpea uno *sin saberlo* y se abre».[19]

Tanto el dormir como el tedio son estados de inactividad. El dormir es la cima del relajamiento físico, mientras que el tedio es la cima del relajamiento espiritual. Benjamin describe el tedio como «un paño cálido y gris forrado por dentro con la seda más ardiente y coloreada» en el que «nos envolvemos al soñar».[20] Es el «pájaro de sueño» que «incuba el huevo de la experiencia».[21] Pero sus nidos están desmoronándose de manera ostensible. Y con ello se echa a perder el «don de estar a la escucha».

La experiencia en sentido enfático no es un resultado del trabajo y el rendimiento. No se la puede producir por medio de la actividad. La experiencia presupone, más bien, una forma particular de pasividad e inactividad: «Hacer una experiencia con algo —sea una cosa, un hombre, un dios— significa que algo nos acaece, nos alcanza; que se apodera de nosotros, que nos tumba y nos transforma».[22] La experiencia se basa en el don y en la recepción. Su medio es la *escucha*. El ruido provocado en la actualidad por la información y la comunicación, sin embargo, pone fin a la «sociedad de los que escuchan». Nadie *escucha*. Cada quien *se produce a sí mismo*.

Las inactividades requieren mucho tiempo. Exigen un *largo rato*,* una intensa pausa contemplativa. Son raras las inactividades en una época de apuros en la que todo se ha tornado tan a corto plazo, tan de corto aliento, tan corto de miras. Hoy se impone por todas partes la forma de vida consumista en la que toda necesidad debe ser satisfecha *de inmediato*. No tenemos *paciencia para una espera* en la que algo pueda *madurar* lentamente. Lo único que cuenta es el efecto a corto plazo, el éxito veloz. Las acciones se acortan y se convierten en reacciones. Las experiencias se rebajan a vivencias. Los sentimientos se empobrecen en la forma de emociones o afectos. No tenemos acceso a la realidad, que solo se revela a una atención contemplativa.

Cada vez soportamos menos el tedio. Y, a raíz de ello, se va echando a perder la capacidad de tener experiencias. Ya se está extinguiendo, en un bosque de páginas similar, el pájaro de sueño: «En el bosque de páginas ilustradas [el pájaro de sueño] no puede más que desplomarse. Y en nuestro hacer tampoco tiene lugar ya. [...] El ocio que recibió el ser humano de su mano creadora se ha extinguido».[23] La mano creadora *no actúa. Escucha.* Internet, en cuanto bosque digital de

---

* En el original hay un juego de palabras entre *lange Weile* («largo rato») y *Langeweile* («tedio»), concepto utilizado un poco más arriba y en el párrafo que sigue a continuación. *(N. del T.)*

páginas, nos arrebata el «don de la escucha». El pájaro de sueño que incuba el huevo de la experiencia se parece a la persona contemplativa inmóvil. En la espera ella se entrega al «acontecer inconsciente». Vista desde fuera, está inactiva. Pero esta inactividad es la condición de posibilidad de la experiencia.

La espera comienza cuando ya no existe nada determinado a lo que aspire. Cuando esperamos algo determinado, esperamos menos y nos cerramos al *acontecer inconsciente*: «La espera empieza cuando ya no hay nada que esperar, ni siquiera el fin de la espera. La espera ignora y destruye lo que espera. La espera no espera nada».[24] La espera es la postura mental de quien está inactivo y contemplativo. A él se le revela una realidad completamente distinta, a la que no tiene acceso ninguna actividad, ninguna acción.

La espera también determina la relación de Orfeo con Eurídice. Solo en la espera está él cerca de Eurídice. Puede cantarle, puede codiciarla, pero no puede poseerla. Estar privado de ella es la condición de posibilidad de su canto. Eurídice desaparece de manera irrecuperable en el momento en que Orfeo, temeroso de que ella ya no lo siga, vuelve la mirada y la busca para cerciorarse de que sí. Eurídice es la encarnación del reino de la inactividad, de la noche, la sombra, el sueño y la muerte. Es imposible, por principio, trasladarla hacia la luz del día. Orfeo le debe su canto, su labor (*œuvre*) a la muerte, que no es sino el *máximo incremento de la inactividad*. Maurice Blanchot aproxima el *désœuvrement* —la inactividad, literalmente «des-laboramiento» o «ausencia de labor»— a la muerte. La noche, el sueño, la muerte hacen de Orfeo «el inactivo (*désœuvré*), el desocupado, el inerte».[25] El artista debe su don de la escucha, su don para la narración, a la inactividad, al *désœuvrement*. Orfeo es el tipo originario del artista. El arte presupone una intensa relación con la muerte. El *espacio literario* se abre en el *ser para la muerte*. Escribir es siempre *escribir para la muerte*: «De algún modo Kafka ya está muerto, esto le ha sido dado, [...] este don está ligado al de escribir».[26]

El saber no puede reflejar la vida completamente. La vida *completamente consciente* es una vida muerta. Lo viviente no es *transparente* para sí mismo. El no-saber, como una forma de inactividad, *reaviva* a la vida. En un aforismo referido a la «nueva ilustración», Nietzsche eleva la ignorancia a *núcleo de la vida*: «No es suficiente que llegues a ver en qué ignorancia viven el hombre y el animal; además has de tener voluntad de ignorancia y aprenderla. Debes comprender que sin esa clase de ignorancia la vida misma sería imposible, que ella es una condición por la que lo vivo se conserva y crece: en torno a ti ha de haber una campana grande y sólida de ignorancia».[27] La decidida voluntad de saber no alcanza lo más íntimo y profundo de la vida. Más bien paraliza la vitalidad. Nietzsche también diría que sin la inactividad la vida es imposible, que es la condición por la que lo vivo se conserva y crece.

Sobre el teatro de marionetas, de Kleist, atribuye la gracia a la ignorancia, a la inintencionalidad y a la inactividad. Un bailarín humano no podría alcanzar jamás la gracia de las marionetas que «sin hacer nada» se entregan «meramente a la ley de la gravedad». Flotan sobre el suelo, en lugar de moverse voluntariamente. Los movimientos acontecen como «por sí mismos». Deben su gracia, pues, a un no-hacer. Es el hacer consciente voluntario el que arrebata la gracia al movimiento. En la misma narración se refiere lo sucedido a un joven que pierde su gracia en el momento en que, frente al espejo, pasa a ser *consciente* de sus ademanes. La gracia y la belleza tienen su sede fuera de los esfuerzos conscientes: «Vemos que, en la medida en que en el mundo orgánico se debilita y oscurece la reflexión, hace su aparición la gracia cada vez más radiante y soberana».[28]

El ejercicio tiene como objetivo último alcanzar un estado en el que la voluntad abdique. El maestro *se ejercita en la anulación de la voluntad*. Lo que constituye la maestría es un no-hacer. La actividad se completa en la inactividad. La *mano feliz* no tiene voluntad ni conciencia. Walter Benjamin escribe sobre el ejercicio: «Ejercitarse es cansar al maestro hasta el límite del agotamiento mediante el empeño y el esfuerzo, hasta que finalmente el cuerpo y todos sus miembros puedan actuar según su propia razón. El éxito consiste en que la voluntad dentro del cuerpo abdique de una vez para siempre a favor de los órganos, por ejemplo de la mano. Así puede pasar que después de una larga búsqueda alguien renuncie a lo que había perdido y después, un día, al buscar otra cosa, caiga en sus manos el objeto perdido. La mano se hizo cargo del asunto y este se confabuló rápidamente con ella».[29] No es infrecuente que la voluntad nos vuelva ciegos frente a lo que *acontece*. Es el carácter inintencionado e involuntario el que nos vuelve *clarividentes*, dando claridad al *acontecer*, al *ser* que antecede tanto a la voluntad como a la conciencia.

En una breve narración titulada *No olvides lo mejor*, Benjamin bosqueja una parábola de la vida lograda. El protagonista es un hombre activo que lleva a cabo sus «asuntos» con determinación y extremo cuidado. Registra todo hasta el más mínimo detalle. Cuando se trata de una cita, es «la puntualidad personificada». Para él no existe «la menor grieta por la cual el tiempo hubiera podido asomarse». No conoce, por tanto, el tiempo *libre*. Lleva una vida activa, pero es extremadamente infeliz. Entonces sucede algo inesperado que tiene como consecuencia un cambio radical. Se deshace de su reloj y ejercita el llegar tarde. Cuando el otro hace ya tiempo que se fue, se sienta «a esperar». Las cosas suceden ahora por sí mismas sin su intervención y lo hacen feliz. Se le revela el destino: «Lo visitaban amigos cuando menos había pensado en ellos y más los necesitaba y los regalos de estos, que no eran valiosos, le llegaban en momentos tan oportunos como si tuviera el destino en sus manos». Se acuerda de la fábula del pastorcito al que «un domingo» se le da acceso a la montaña con ricos tesoros, pero con la enigmática instrucción: «No olvides lo mejor». Lo mejor es el no-hacer. La parábola de la inactividad de Benjamin cierra con estas palabras: «En esa época estaba bastante bien. Solucionaba pocas cosas y nada le parecía concluido».[30]

Quien está realmente inactivo no se afirma *a sí mismo*. Se desprende de su nombre y se vuelve *nadie*. *Sin nombre ni propósito*, se entrega a lo que *acontece*. Roland Barthes reencuentra su «pereza soñada»[31] en un haiku.

> Quietamente sentado, sin hacer nada,
> llega la primavera
> y crece la hierba sola.

Barthes resalta que el haiku contiene un notable anacoluto, una fisura gramatical: aquel que está allí sentado e inactivo no es el auténtico sujeto de la oración. Abandona su puesto gramatical y desaparece en favor de la naturaleza como sujeto: «llega la primavera». De ello concluye Barthes que «en la situación de la pereza el sujeto está casi privado de su naturaleza en cuanto sujeto». Son las actividades y las acciones las que constituyen al sujeto. Un sujeto inactivo sería un contrasentido. Sujeto y acción se suponen mutuamente. La inactividad (Barthes la llama aquí «pereza») produce un efecto desubjetivizador, desindividualizador, incluso *desarmador*. También la hierba, nuevo sujeto de la oración, pone de relieve la inactividad como el *estado de ánimo general* del haiku. La hierba crece «sola». La pasión de la inactividad tiene como consecuencia —podemos decir continuando los pensamientos de Barthes— un *anacoluto anímico*. El sujeto renuncia a sí mismo. Se entrega *a sí mismo* a lo que *sucede*. Cada acción, cada actividad se suspende en favor de un *acontecer sin sujeto*: «Esa sería la auténtica pereza.

Lograr, en determinados momentos, ya no tener que decir "yo"».[32]

El maestro de la contemplación se distingue por su *capacidad mimética*. Entra en las cosas volviéndose *similar* a ellas. En *Infancia en Berlín hacia 1900* Benjamin narra la historia de un pintor chino que delante de sus amigos desaparece en su cuadro; la historia «procede de la China y cuenta de un pintor que dejó ver a los amigos su cuadro más reciente. En el mismo estaba representado un parque, una estrecha senda cerca del agua que corría a través de una mancha de árboles y terminaba delante de una pequeña puerta que, en el fondo, franqueaba una casita. Cuando los amigos se volvieron al pintor, este ya no estaba. Estaba en el cuadro, caminando por la estrecha senda hacia la puerta; delante de ella se paró, se volvió, sonrió y desapareció por la puerta entreabierta. De la misma manera me encontraba yo, traspuesto de repente en el cuadro, cuando me ocupaba de botes y pinceles. Me parecía a la porcelana, en la que hacía mi entrada sobre una nube de colores».[33] El pintor *sonríe* antes de desaparecer del todo. Benjamin interpreta esa sonrisa como una capacidad mimética. Esa sonrisa representa el «mayor grado de actitud mimética». Señala la aceptación de «asemejarse a aquel a quien dicha sonrisa se dirige». Con la *sonrisa encantadora* uno muestra una «maestría de la mímesis en forma de una asimilación».[34] El estado mimético es un *estado de desapego* en el que se logra un lúdico *tránsito hacia el otro*. Su atributo esencial es la *amabilidad de la sonrisa*.

La inactividad no es contraria a la actividad. La actividad se nutre, más bien, de la inactividad. Benjamin eleva la inactividad a comadrona de lo nuevo: «Nos llega el tedio cuando no sabemos a qué aguardamos. Que lo sepamos o creamos saber, no es casi nunca sino la expresión de nuestra superficialidad o de nuestra desorientación. *El tedio es el umbral de grandes hechos*».[35] El tedio constituye «la cara externa del acontecimiento inconsciente». Sin él no *sucede* nada. El núcleo de lo nuevo no es la determinación a la acción, sino el acontecimiento inconsciente. Si perdemos la capacidad del tedio perdemos también el acceso a las actividades que se basan directamente en ella: «Pero es que hoy el aburrimiento ya no tiene sitio en nuestra vida, y una tras otra van desapareciendo las actividades conectadas con lo que es el aburrimiento de manera estrecha y misteriosa».[36]

La *dialéctica de la inactividad* la transforma en un umbral, en una zona de indeterminación que nos capacita para producir algo *que no ha existido nunca todavía*. Sin dicho umbral se repite lo igual. Así pues, también Nietzsche escribe que «los hombres inventivos viven *de un modo completamente distinto* al de los activos; precisan *tiempo* para que se despliegue su actividad sin fines ni reglas prefijados, los ensayos, sendas nuevas, se mueven mucho más a tientas que los que recorren caminos conocidos, los que actúan, por ejemplo, por utilidad».[37] Los activos creadores se distinguen de los activos útiles en que hacen, pero *para nada*. Es justo esta *parte de inactividad en la actividad* la que facilita que surja algo *completamente distinto*, algo que aún no existe.

Solo el silencio nos vuelve capaces de decir algo *inaudito*. La obligación de comunicar, por el contrario, conduce a la reproducción de lo igual, al conformismo: «El problema no consiste en conseguir que la gente se exprese, sino en poner a su disposición vacuolas de soledad y de silencio a partir de las cuales podrían llegar a tener algo que decir. Las fuerzas represivas no impiden expresarse a nadie, al contrario, nos fuerzan a expresarnos. ¡Qué tranquilidad supondría no tener nada que decir, contar con el derecho a no tener nada que decir, pues tal es la condición para que se configure algo raro o enrarecido que merezca la pena de ser dicho!».[38] Por su parte, lo igual se sigue repitiendo a causa de la obligación de actuar. Solo gracias a las vacuolas que nos da la inactividad tenemos la posibilidad de realizar algo cada vez más infrecuente: algo que realmente merezca *ser hecho*. La inactividad es, pues, el umbral de un *hecho inaudito*.

La obligación de actuar y, aún más, la aceleración de la vida se están revelando como un eficaz medio de dominación. Si hoy ninguna revolución parece posible, tal vez sea porque no tenemos tiempo para pensar. Sin tiempo, sin una inhalación profunda, se sigue repitiendo lo igual. El librepensador se está extinguiendo: «Dado que falta tiempo para pensar y sosiego al pensar, ya no se ponderan los pareceres divergentes: basta con odiarlos. Dada la tremenda aceleración de la vida, espíritu y vista son habituados a una visión y un juicio a medias o falsos, y todos se asemejan a los viajeros que conocen países y pueblos sin bajar del tren. La actitud autónoma y cautelosa del conocimiento es estimada casi como una especie de extravío, el librepensador es desacreditado».[39]

Después de haber alzado su queja contra el conformismo reinante, Nietzsche continúa así: «Una queja como la que acaba de entonarse tendrá probablemente su día, y enmudecerá cuando regrese pujante el genio de la meditación». El librepensador, en cuanto genio de la contemplación, brilla en la inactividad. Nietzsche constata que en ninguna otra época han cotizado más alto los «activos», los «desasosegados», y que por ello nuestra civilización cae en una «nueva barbarie». Entre las necesarias correcciones que deben hacérsele al carácter de la humanidad se encuentra «el fortalecimiento en amplia medida del elemento contemplativo».[40]

Cuando la obligación de producir se apodera del lenguaje, este se pone en modo trabajo. Se degrada, pues, a portador de información, es decir, a mero medio de comunicación. La información es la *forma de actividad que tiene el lenguaje*. La poesía, por el contrario, suspende el lenguaje entendido como información. En la poesía el lenguaje se pone en modo contemplación. Se torna inactiva: «La poesía es precisamente [...] el punto en el que la lengua, que ha desactivado sus funciones comunicativas e informativas, descansa en sí misma, contempla su potencia de decir y se abre, de este modo, a un nuevo posible uso—. Justamente la *Vita nuova* de Dante o los *Cantos* de Leopardi son la contemplación de la lengua italiana».[41] Nosotros, los activos, apenas si leemos poemas. La pérdida de la capacidad contemplativa repercute sobre nuestra relación con el lenguaje.

Aturdidos por la embriaguez de la información y de la comunicación, nos alejamos de la poesía como contemplación del lenguaje y comenzamos incluso a odiarla.

Cuando el lenguaje se limita a funcionar y a producir información pierde todo esplendor. Se agota y reproduce lo igual. El escritor francés Michel Butor achaca la crisis actual de la literatura a la comunicación: «Desde hace diez o veinte años ya no pasa casi nada en literatura. Hay un torrente de publicaciones, pero una parálisis espiritual. La causa de ello es una crisis de la comunicación. Los nuevos medios de comunicación son dignos de admiración, pero provocan un ruido enorme».[42] El ruido de la comunicación destruye el *silencio* y le arrebata al lenguaje su capacidad contemplativa. Con ello, sus nuevas posibilidades de expresión permanecen cerradas.

El capital es la *actividad en estado puro*. Es la trascendencia que se apodera de la inmanencia de la vida y la explota por completo. Separa de la vida una vida desnuda que *funciona*. El humano se degrada en forma de un *animal laborans*. También la libertad es explotada. La libre competencia no es, según Marx, sino «la relación del capital consigo mismo como otro capital».[43] Mientras competimos entre nosotros en libre competencia, el capital se propaga. Solo el capital es libre: «No se pone como libres a los individuos, sino que se pone como libre el capital».[44] Los individuos, que se creen libres, son, en el fondo, órganos reproductores del capital, cuya propagación facilitan. El exceso neoliberal de libertad y rendimiento no es sino el exceso de capital.

La *política de la inactividad* libera a la inmanencia de la vida de la trascendencia, que es la que la aleja de sí misma. Solo en la inactividad nos percatamos del suelo sobre el que pisamos y del espacio en el que nos hallamos. La vida se pone en modo contemplativo y vuelve a montarse sobre su secreta razón de ser. Se encuentra consigo misma y se contempla a sí misma. Llega hasta su inmanencia profunda. Solo la inactividad nos inicia en el misterio de la vida.

Para Deleuze la inmanencia de la vida no es sino beatitud: «Se dirá de la pura inmanencia que es UNA VIDA, y ninguna otra cosa. No es inmanencia a la vida, pero lo inmanente que no es en nada es él mismo una vida. Una vida es [...] la inmanencia absoluta: es potencia, beatitud completas».[45] La inmanencia en cuanto vida es la *vida en el modo de la contemplación*. La vida en cuanto inmanencia es una potencia que *no actúa*. Es, por tanto, algo «inmanente que no es en nada» porque no está sometido a nada y no depende de nada. La vida se refiere a sí misma y se basa en sí misma. La inmanencia distingue a una vida que se pertenece a sí misma, que se basta a sí misma. Esta autosuficiencia es la beatitud. Es lo que caracteriza a los niños pequeños, quienes realmente brillan en su inactividad: «Los niños pequeños están atravesados de una vida de inmanencia que es pura potencia, e incluso beatitud a través de los sufrimientos y las debilidades». Aquella «potencia absoluta» se manifiesta como una «mera contemplación sin conocimiento» (*pure contemplation sans connaissance*), como un «mirar sin conocimiento».[46] Es una potencia contemplativa, una potencia que *no actúa*.

Los niños colmados de «vida inmanente» de los que habla Deleuze tienen puntos de contacto con los «niños pequeñitos» de Handke, que se pierden alegremente en la inactividad: «Y todas las noches, aquí, en Linares he estado contemplando cómo se iban cansando los muchos niños pequeñitos [...]; ningún afán ya, las manos ya no cogen nada, juegan solo».[47] El «cansancio fundamental», «etéreo», evocado por Handke en el *Ensayo sobre el cansancio*, se corresponde con la «pura potencia» que *no actúa*: «¡Una oda de Píndaro a un cansado en lugar de a un vencedor! A la comunidad de Pentecostés recibiendo al Espíritu Santo —a todos los apóstoles— me la imagino cansada. La inspiración del cansancio dice menos lo que hay que hacer que lo que hay que dejar».[48] El «cansancio etéreo» de Handke es diferente de aquel cansancio profano que se entiende como impotencia, como incapacidad de hacer algo. En cuanto *pura potencia* no se somete a ningún *para-algo*, a ninguna meta, a ningún propósito. El cansado hace algo, pero lo hace *para nada*. Se parece a un niño que está siempre en movimiento sin con ello *realizar* o *concretar* nada.

En un pasaje de *El hombre sin atributos*, Musil se imagina un *reino de la inactividad* que sería un *sabbat eterno*. Un «espíritu mágico de la inactividad» pone al mundo en un estado de contemplación: «Allí se debe permanecer completamente quieto. [...] También debe desprenderse uno del entendimiento con el que se llevan a cabo los negocios. Se debe arrebatar al propio espíritu toda herramienta y evitar que sirva como una herramienta. [...] Uno debe contenerse hasta que la cabeza, el corazón y los miembros sean puro silencio. Si se alcanza así el más elevado desapego, ¡entonces se tocarán finalmente el afuera y el adentro, como si hubiera salido disparada la cuña que estaba dividiendo en partes al mundo!».[49] La «mística clarísima» de Musil provoca un «estado diferente». Anula aquellas separaciones que aíslan las cosas entre sí. Las cosas se funden unas con otras como en un «estado onírico». El *paisaje de la inactividad* no tiene fronteras divisorias. Las cosas se fusionan y se reconcilian. Se tornan mutuamente permeables y se penetran unas a otras: «Diría que los detalles ya no poseen ese egoísmo suyo por medio del cual demandan nuestra atención, sino que están entrelazados de manera fraternal y literalmente "íntima"».[50]

El «cansancio etéreo» designa al espíritu en el modo de la contemplación. A la mirada del cansado se revela el mundo en estado de reconciliación. «Todo junto» es la fórmula de la reconciliación: «Lo otro se convierte al mismo tiempo en yo. Los dos niños que hay aquí, bajo mis ojos cansados, esto es lo que yo soy ahora. Y el modo como la hermana mayor arrastra al hermano pequeño por el local produce al mismo tiempo un sentido, y tiene un valor, y no hay ninguna cosa que tenga más valor que otra —la lluvia que cae sobre el pulso del cansado tiene el mismo valor que la escena de los que caminan al otro lado del río—, y es tan bueno como bello, y tiene que ser así, y así es como tiene que seguir siendo, y es, sobre todo, verdadero».[51] El sentido más profundo de la verdad es el con-*senso* [*Überein*-Stimmung] de las cosas. La verdad y la belleza convergen en la amabilidad. En el *paisaje de la inactividad* las cosas se desposan. Esta *resplandece*. El *espíritu en el modo de la inactividad* es *resplandor*: «Cézanne consigue casi siempre la boda —el enlace— de todo: el árbol se hace lluvia, el aire se torna piedra, una cosa tiende a la otra: la sonrisa en el paisaje campestre».[52]

En el *paisaje de la inactividad* nada se disocia de lo otro. Nada persiste en sí mismo o se aferra a sí mismo. El «olor azul de los pinos, áspero» «se combina» «con el olor de las piedras, el perfume del mármol lejano de la Sainte-Victoire».[53] La resplandeciente amabilidad que recorre el *paisaje de la inactividad* de Cézanne despierta de una consonancia de las cosas: «Todos los tonos se penetran, todos los volúmenes cambian al encajarse. Hay continuidad...».[54] Las cosas entablan una relación sin rodeos: «Esos vasos, esos platos, se hablan entre sí. Confidencias interminables».[55] Pintar no es sino «desprender la amistad de todas esas cosas al aire libre».[56] Al pintar se manifiesta el *consenso de las cosas*, es decir, su *verdad*. Las divisiones tajantes y los contrastes fuertes en los cuales las cosas se apartan unas de otras son fenómenos de superficie. En los estratos profundos del ser son superados.

Son los propósitos y los juicios humanos los que destruyen la *continuidad del ser*. Así pues, escribe Cézanne: «¿Por qué dividimos el mundo? ¿Será nuestro egoísmo que se refleja? Lo queremos todo para nuestro uso».[57] Para que las cosas resplandezcan en su propio brillo, libres de los propósitos y las acciones del ser humano —que las someten a él—, este debe retirarse: «Vivimos sumergidos en un medio de objetos construidos por los hombres, entre utensilios, dentro de casas, en calles y ciudades, y la mayoría de las veces no los vemos más que *a través de las acciones humanas* de las cuales pueden ser puntos de aplicación».[58] El *paisaje de la inactividad* de Cézanne rompe con la naturaleza humanizada y restablece un *ordenamiento no humanizado de las cosas* en el que estas encuentran el camino de vuelta a sí mismas. De este modo, las manzanas de Cézanne *no son aptas para el consumo*. Sus jarras y sus platos no son una «cosa», una herramienta que esté sometida al para-algo, al propósito del ser humano. Tienen, más bien, su propia dignidad, su propio resplandor.

El pintor ideal hace que repose toda actividad, todo hecho intencionado, y hace que todo acontezca por sí mismo. El cuadro llega a buen puerto en el momento en que el pintor se vuelve *nadie*: «Bueno, pues, nunca se ha pintado el paisaje. El hombre ausente, pero todo él en el paisaje».[59] El pintor *se disipa* pintando, *se pierde a sí mismo* en el paisaje. El pintor transporta «inconscientemente» el paisaje al lienzo. El paisaje ilimitado ingresa en la punta del pincel y se pinta a sí mismo. El llamamiento de Cézanne a la inactividad consiste en *hacer el silencio*. Se debe hacer desaparecer al *yo ruidoso* con su voluntad, con sus propósitos y su inclinación. Cézanne comenta sobre la tarea del pintor: «Toda su voluntad ha de ser de silencio. Debe hacer callar en él todas las voces de los prejuicios, olvidar, olvidar, hacer el silencio, ser un eco perfecto. Entonces se inscribirá todo el paisaje en su placa sensible».[60]

La inactividad es, para Cézanne, el ideal de la existencia humana. Sus cuadros están atravesados por un *êthos de la inactividad*. En un comentario a la serie *Los jugadores de cartas* se dice: «Cézanne muestra a los campesinos jugando o *inactivos, con las manos en el regazo*; dejando atrás el socialismo [...] superficial, proyecta una última liberación del ser humano del trabajo, de las fatigas y pesadumbres».[61] La serie *Las bañistas* constituye una *utopía de la inactividad*. En el resplandor de la inactividad se fusionan el ser humano y la naturaleza. Se penetran mutuamente. En algunas representaciones las bañistas se difuminan verdaderamente en el paisaje. Ninguna acción, ningún propósito separa al ser humano de la naturaleza. *Las bañistas* muestran al mundo en estado de redención. La reconciliación entre el ser humano y la naturaleza es el fin último de la *política de la inactividad*.

UNA NOTA MARGINAL
A PROPÓSITO DE ZHUANGZI

En una anécdota que se puede leer como si fuera una continuación de *Sobre el teatro de marionetas*, de Kleist, Zhuangzi se refiere a lo sucedido a un cocinero que resulta ser un experto en inactividad. Se ejercita en el no-hacer. Usa las *posibilidades* que ya están latentes en las cosas, en lugar de intervenir activamente en ellas. Desmiembra bueyes guiando el cuchillo por los intersticios ya existentes en el cuerpo. Un buen cocinero, explica, casi nunca cambia el cuchillo, puesto que *corta* realmente con él. Un cocinero chapucero, por el contrario, cambia de cuchillo con mucha frecuencia, porque lo usa para *partir* con todas sus fuerzas. El cocinero de Zhuangzi desmiembra bueyes sin el más mínimo esfuerzo: «Me pongo en guardia y tomo mis precauciones. / Muevo la hoja del cuchillo lentamente hasta que... ¡zas!, / de un solo corte la juntura se separa; / el animal se descuartiza, se desploma / como un montón de tierra».[1] Zhuangzi describe el desmembramiento como un *acontecimiento espontáneo e inintencionado*. Su cocinero está, en rigor, inactivo. *Solamente asiste al acontecimiento* al que él, por así decir, le da apenas un toque. Y cuando el buey cae en pedazos como por su propio impulso, él mismo se sorprende del portentoso acontecimiento que se ha desarrollado sin su intervención.

El célebre pionero de la agricultura natural Masanobu Fukuoka traslada la doctrina de la inactividad de Zhuangzi, de una manera consecuente, a su propia praxis. La llama «agricultura-del-no-hacer». Fukuoka está persuadido de que las técnicas de agricultura modernas destruyen la delicada ley de la naturaleza. Es cierto que ofrecen soluciones, pero para problemas que ellas mismas provocaron. La agricultura de la inactividad hace uso, como el cocinero de Zhuangzi, de las posibilidades o fuerzas que ya están insertas en la naturaleza. Zhuangzi podría haber dicho: *un campesino sabio no ara*. La agricultura-del-no-hacer de Fukuoka prescinde, en efecto, del arado: «El primero [de los principios de la agricultura-del-no-hacer] es NO LABOREO, esto es, no arar ni voltear el suelo. Durante siglos, los agricultores han supuesto que el arado es esencial para cultivar las plantas. Sin embargo[,] el no laboreo es fundamental para la agricultura natural. La tierra se cultiva a sí misma de forma natural, mediante la penetración de las raíces de las plantas y la actividad de los microorganismos, pequeños animales y lombrices de tierra. [...] La gente interfiere [en] la naturaleza y, por mucho que lo intenten, no pueden curar las heridas que causan. [...] Si se deja a sí mismo, el suelo mantiene su fertilidad naturalmente, de acuerdo con el ciclo ordenado de la vida vegetal y animal».[2] Como el cocinero de Zhuangzi, el buen campesino entiende su labor como un dejar-acontecer. No-hacer es su *êthos*. Las palabras de Fukuoka parecen sentencias de Zhuangzi: «Si se planta un árbol cuidadosamente y se le permite seguir su forma natural desde el comienzo, no hay necesidad de poda ni tratamientos de ningún tipo».[3]

También Heidegger se acerca a la filosofía de la inactividad de Zhuangzi. La «serenidad» de Heidegger incluye una dimensión del no-hacer. Las personas destruyen la tierra cuando la arrancan de su «inaparente ley de lo posible» y la someten a una condición de total disponibilidad: «Solo la voluntad, que por todos lados se instala en la técnica, zamarrea la tierra estragándola, usándola abusivamente y cambiándola en lo artificial. Obliga a la tierra a ir más allá del círculo de lo posible, tal como ha crecido en torno a ella, la obliga a aquello que ya no es posible y por tanto es lo imposible».[4] Salvar a la tierra significa *dejarla estar en lo que le es posible, en el círculo delimitado por lo que fue constituyéndose como su posible*. La *ética de la inactividad* de Heidegger consiste en hacer uso de lo *posible* en lugar de imponerle lo imposible.

DE LA ACCIÓN AL SER

Hay un cuadro de Klee que se llama *Angelus Novus*. En él se representa a un ángel que parece como si estuviese a punto de alejarse de algo que le tiene pasmado. Sus ojos están desmesuradamente abiertos, la boca abierta y extendidas las alas. Y este deberá ser el aspecto del ángel de la historia. Ha vuelto el rostro hacia el pasado. Donde a nosotros se nos manifiesta una cadena de datos, él ve una catástrofe única que amontona incansablemente ruina sobre ruina, arrojándolas a sus pies. Bien quisiera él detenerse, despertar a los muertos y recomponer lo despedazado. Pero desde el paraíso sopla un huracán que se ha enredado en sus alas y que es tan fuerte que el ángel ya no puede cerrarlas. Este huracán le empuja irreteniblemente hacia el futuro, al cual da la espalda, mientras que los montones de ruinas crecen ante él hasta el cielo. Ese huracán es lo que nosotros llamamos progreso.

WALTER BENJAMIN

Hannah Arendt considera el siglo XX una época de la acción. Incluso nuestro vínculo con la naturaleza está determinado solamente por la acción y no por la contemplación absorta. Más allá del ámbito interpersonal, el ser humano actúa sobre la naturaleza sometiéndola por completo a su voluntad. Al hacerlo desencadena procesos que sin su intervención no se producirían y que conducen a pérdidas totales del control: «Es como si hubiésemos trasladado nuestra propia imprevisibilidad —el hecho de que ningún ser humano puede anticipar completamente las consecuencias de su acción— a la naturaleza misma, y, con ello, hubiésemos trasladado la antigua ley de la naturaleza —con cuya validez absoluta quisiéramos contar justo porque nosotros mismos somos los imprevisibles y los nunca del todo fiables por excelencia— al ámbito de las leyes de la acción humana —constituidas de un modo completamente diferente—, las cuales, por su parte, nunca sirven de manera universal ni podrían jamás ser incondicionalmente confiables».[1]

El Antropoceno es el resultado del total sometimiento de la naturaleza a la acción humana. La naturaleza pierde en él toda autonomía y dignidad. Es reducida a componente, a apéndice de la historia humana. La regularidad de la naturaleza es sometida al capricho humano, a la volubilidad de la acción humana. *Hacemos* la historia al actuar. Y *hacemos*, pues, la naturaleza cuando la disolvemos completamente en referencias que apuntan a la acción humana. El Antropoceno marca el punto exacto, temporal e histórico, en el que la naturaleza comienza a ser absorbida y explotada por la acción humana.

¿Qué hacer ante las catastróficas consecuencias de la acción humana que se proyecta sobre la naturaleza

—consecuencias que ya se evidencian de una manera tan masiva—? Arendt admite con franqueza que no puede ofrecer ninguna solución. Con sus consideraciones solo quiere hacer un llamamiento «a investigar la esencia y las posibilidades de la acción que aún no se mostraron nunca en toda su dimensión y peligrosidad de un modo tan abierto y visible». Además, quiso introducir la «reflexión, cuyo resultado final —que quizá se encuentre aún a gran distancia— sería una filosofía de la política ajustada a nuestra era y a nuestras experiencias».[2]

¿Qué tipo de «filosofía de la política» tendría como consecuencia una «reflexión» que pudiera tomar en consideración toda la problemática de la acción humana? ¿Una filosofía crítica de la acción? En *La condición humana*, Arendt describe la acción humana, sobre todo, en lo que atañe a su magnitud y su dignidad.* Es la acción en sentido enfático la que produce la historia. Arendt solo ve un rasgo de peligrosidad de la acción humana en el hecho de que no se pueden prever sus consecuencias. Y lo mismo más adelante: Arendt nunca llegó a considerar que la absolutización de la acción humana podía ser la responsable de las catástrofes que ya se anunciaban de manera inequívoca en su época. La filosofía, en cuanto resultado —que aún se encuentra a

---

* H. Arendt publicó en 1958 *The Human Condition* y, en 1960, una traducción al alemán con el título de *Vita activa oder Vom tätigen Leben*. Aquí se menciona como es conocido en castellano (*La condición humana*), pero téngase en cuenta que el título original de este libro de Byung-Chul Han (*Vita contemplativa*) remite al de H. Arendt. *(N. del T.)*

gran distancia— de una reflexión fundamental, debería tener por objeto aquella capacidad humana que *no actúa*.

El verbo de la historia es «actuar». El *ángel de la historia* de Walter Benjamin se ve obligado a enfrentarse a las consecuencias catastróficas de la acción humana. Ante él crece en dirección al cielo el montón de ruinas de la historia. No puede derribarlo, sin embargo, porque el huracán que viene del futuro, llamado progreso, lo arrastra con él. Sus ojos desorbitados y su boca abierta son el reflejo de su impotencia, de su espanto. La historia humana es un apocalipsis continuo. Se trata de un *apocalipsis sin acontecimiento*. Lo catastrófico es la *prolongación sin acontecimientos del ahora*: «Hay que basar el concepto de progreso en la idea de catástrofe. Que esto "siga sucediendo" *es* la catástrofe. Ella no es lo inminente en cada caso, sino lo que en cada caso está dado. [...] El infierno no es nada que nos sea inminente, sino esta vida aquí».[3] Lo catastrófico no es la irrupción de un acontecimiento inesperado, sino la continuidad del seguir-sucediendo, la repetición continuada de lo igual. Aquí incluso lo más nuevo resulta ser lo igual: «Se trata [...] de que la faz del mundo, precisamente en aquello que es lo novísimo, jamás se altera, de que esto novísimo permanece siendo de todo punto siempre lo mismo. —Esto constituye la eternidad del infierno».[4] La salvación consiste, por tanto, en una radical *interrupción del ahora*. Solo un *ángel de la inactividad* estaría en condiciones de poner coto a la acción humana que inevitablemente se encamina hacia el apocalipsis.

Algunos años antes de *La condición humana*, de Arendt, Heidegger dio una conferencia con el título *Ciencia y meditación*. Al contrario de la acción, que empuja hacia delante, la meditación nos trae nuevamente de vuelta a donde *ya estamos desde siempre*. Nos revela un *ser-ahí* que antecede e incluso *preexiste* a todo hacer, a toda acción. A la meditación le es inherente una dimensión de inactividad. La meditación se entrega a lo que *es*: «Echar a andar en la dirección que una cosa, *por sí misma*, ha tomado ya es lo que en nuestra lengua se dice meditar (*sinnan, sinnen*). [...] [La meditación] es la serenidad para con lo digno de ser cuestionado. Por la meditación, entendida de esta manera, llegamos propiamente allí donde, sin experienciarlo y sin verlo del todo, residimos ya desde hace tiempo. En la meditación nos dirigimos a un lugar desde el que, por primera vez, se abre el espacio que mide todo nuestro hacer y dejar de hacer».[5]

La meditación es una capacidad que *no actúa*. Supone la pausa como *interrupción*, como *inactividad*. En los *Cuadernos negros* Heidegger escribe: «¿Qué sucedería si desapareciera el presagio del silencioso poder de la meditación inactiva?».[6] El presagio no es un saber deficitario. Más bien es algo que nos revela el *ser*, el *ahí* que rehúye todo saber proposicional. Solo por medio del presagio tenemos acceso a aquel lugar en el que el ser humano reside desde siempre: «El presentimiento [...] no se dirige, como presentimiento habitual pensado calculadoramente, a la temporalidad venidera y solo próxima, recorre y mide toda la temporalidad: el espacio-juego-temporal del ahí».[7] El presentimiento no es un «escalón previo en la escalera del saber». Más bien es lo que da acceso a aquel «pórtico»[8] en el que todo lo que puede saberse posee su sede, es decir, tiene lugar. El pensamiento de Heidegger gira incansable alrededor de aquel *ahí* primordial que no puede ser atrapado por ningún saber proposicional.

La «meditación inactiva» se relaciona con la *magia del ahí* que está más allá de toda acción. Sus pasos «no conducen hacia adelante, sino hacia atrás, hacia donde ya nos encontramos».[9] Nos dejan «llegar» al «ámbito [en el que] ya nos hallamos».[10] En su inmanencia radical, este *ahí* se encuentra *demasiado cerca* de nosotros, de modo que lo pasamos por alto una y otra vez. Es lo «hipercercano» que está más cerca que el objeto más cercano. Quien únicamente está activo se lo salta de manera inevitable. Solo se le revela a la pausa inactiva, contemplativa. Heidegger despliega todo un vocabulario de la inactividad para abordar este *ahí* preposicional. Y también hace que entre en acción la figura de la espera: «La espera es una capacidad que sobrepasa todo dinamismo. Quien se conforma con poder esperar supera todo rendimiento y los éxitos que de él resultan».[11] Solo en la espera sin propósito alguno, en la pausa de la espera, el ser humano advierte aquel espacio en el que se encuentra desde siempre: «En la espera, el ser humano se repone en el cuidado de aquello a lo que pertenece».[12] La «meditación inactiva» va tras el esplendor de lo insignificante, lo inutilizable, lo indisponible, de lo que se sustrae a toda utilidad, a toda meta: «La pobreza de la meditación, sin embargo, es la promesa de una riqueza cuyos tesoros lucen en el esplendor de lo inútil que nunca se deja calcular».[13]

Dado que se sustrae a lo proposicional, no es fácil señalar lingüísticamente el *ahí* [*Da*]. No se lo detecta con el pensamiento ni con la contemplación. La piel de gallina está más próxima a él que la retina.* El *ahí* se revela de manera *prerreflexiva*. El ser-*ahí* [*Da-Sein*] se expresa en primer lugar como un estar-anímicamente-templado [Gestimmt-*Sein*] que también precede al ser-consciente [Bewusst-*Sein*]. El estado de ánimo [*Stimmung*] no es un estado subjetivo que trasciende hacia el mundo objetivo. *Es* el mundo. Es más, es *más objetivo* que el objeto, sin ser él mismo un objeto. Antes de dirigir mi atención a un objeto ya *me encuentro* en un mundo determinado [*be*-stimmten]. El estado de ánimo como disposición afectiva precede a toda intencionalidad referida a objetos: «El estado de ánimo ya ha abierto siempre el estar-en-el-mundo en su totalidad, y hace posible por primera vez un dirigirse hacia...».[14] El estado de ánimo nos abre el espacio en el que nos encontramos con un ente. Revela el ser.

No podemos disponer del estado de ánimo. Es algo que nos sobreviene. No es posible provocarlo voluntariamente. Ocurre, más bien, que somos arrojados hacia él. No es la actividad, sino la condición de arrojado, en cuanto pasividad originaria ontológica, la

---

* Juego de palabras entre *Gänsehaut* («piel de gallina») y *Netzhaut* («retina»). *(N. del T.)*

que determina nuestro ser-en-el-mundo original. En el estado de ánimo se revela el mundo en su indisponibilidad. El estado de ánimo precede a toda actividad y es, al mismo tiempo, determinante [*be*-stimmend] para ella. Toda acción es, sin que seamos conscientes de que lo es, una acción determinada [*be*-stimmt]. El estado de ánimo constituye, pues, el *marco prerreflexivo* de las actividades y las acciones. De este modo, puede propiciar o impedir acciones determinadas [*be*-stimmt]. A lo más íntimo de la actividad le es inherente una pasividad. Las acciones y las actividades no son, por tanto, totalmente libres o espontáneas.

Tampoco el pensamiento es pura actividad y espontaneidad. La dimensión contemplativa que le es inherente hace de él un *corresponder*. Corresponde a lo que «nos llama como voz del ser» al dejarse determinar [*bestimmen*] por ella. Pensar significa *«abrir nuestros oídos»*, es decir, escuchar y prestar atención. Hablar presupone prestar atención y corresponder: «Φιλοσοφία es la co-rrespondencia realizada expresamente, que habla en cuanto atiende a la llamada del ser del ente. La co-rrespondencia escucha la voz de la llamada. [...] La co-rrespondencia es siempre y necesariamente, y no solo de forma ocasional y casual, una correspondencia dispuesta [por la llamada]. Está en una disposición afectiva. Y solo sobre la base de esta disposición (*disposition*) el decir propio de la correspondencia recibe su precisión, su de-terminación».[15] El estado de ánimo no es algo indeterminado o difuso. Más bien le otorga a lo pensado la cualidad de determinado [*Be*-Stimmtheit].

El estado de ánimo es una fuerza de gravedad que condensa palabras y conceptos en forma de un pensar determinado [*be*-stimmt]. Le da al pensar una dirección de-terminada [*be*-stimmt] en el plano prerreflexivo. Sin estado de ánimo, el pensar no tiene rumbo, es decir, no tiene de-terminación [*Be*-Stimmung]. Se torna completamente inde-terminado [*unbe*-stimmt] y discrecional: «Falta la disposición fundamental, entonces todo es un forzado tableteo de conceptos y moldes de palabras».[16]

El pensar ya está siempre *anímicamente templado* [*gestimmt*], es decir, expuesto a un estado de ánimo [*Stimmung*] que lo *fundamenta* [*grundiert*]. La fundamentación [*Grundierung*] prerreflexiva del pensamiento antecede a todo pensamiento: «Todo pensar esencial exige que sus pensamientos y proposiciones sean extraídos cada vez nuevamente como mineral de la disposición fundamental».[17] Heidegger se esfuerza por poner al descubierto el plano de la pasividad en el pensamiento. Se da por sentado que el pensamiento es, en su dimensión más íntima, un *páthos*. «πάθος guarda una estrecha relación con πάσχειν, que significa sufrir, soportar, tolerar, sobrellevar, dejarse llevar por, dejarse determinar por».[18]

La inteligencia artificial no puede pensar desde el momento en que no está capacitada para el *páthos*. El sufrimiento y el padecimiento son estados que no pueden ser alcanzados por máquina alguna. A las máquinas les es ajena, sobre todo, la inactividad contemplativa. Solo conocen dos estados: encendido y apagado. El estado contemplativo no se consigue sencillamente desactivando el funcionamiento.

La máquina, en realidad, no es ni activa ni inactiva. La actividad y la inactividad se comportan como la luz y la sombra. La sombra da forma a la luz. Le da contornos. La sombra y la luz se condicionan entre sí. También pueden comprenderse de este modo la actividad y la inactividad como dos distintos estados o modos del pensamiento, o incluso del espíritu. El pensamiento es un tejido formado por luz y sombra. La inteligencia maquinal, por el contrario, no conoce ni la luz ni la sombra. Es *transparente*.

La contemplación se contrapone a la producción. Se relaciona con lo indisponible como algo *ya dado*. *El pensamiento está siempre en actitud receptiva*. La dimensión de don que hay en el pensar [*Denken*] lo vuelve un agradecer [*Danken*]. En el pensar como agradecer la voluntad abdica por completo: «Lo noble longánime sería el puro reposo-en-sí de aquel querer que, renunciando al querer, se ha comprometido (*Sich eingelassen*) con lo que no es una voluntad. Lo noble sería la esencia del pensar (*Denken*) y por ende del agradecer (*Danken*)».[19]

La «meditación» de Heidegger se opone al acto de tornar algo disponible, el cual hace de cualquier cosa algo alcanzable, calculable, controlable, dirigible, dominable y consumible. En la digitalización, el acto de tornar disponible asciende a un nuevo nivel. Al totalizar la *productibilidad* anula la propia *facticidad*. El ordenamiento digital no reconoce ningún fundamento indisponible del ser. Su lema es que *el ser es información*. La información vuelve al estar completamente disponible. Si todo es rápidamente disponible y consumible no se genera ninguna atención profunda, contemplativa. La mirada vaga alrededor, como la de un cazador. Con ello se pierde cualquier *punto de referencia sobresaliente* ante nosotros, en el que poder *detener la mirada*. Todo está aplanado y sometido a necesidades cortoplacistas.

También pertenece al vocabulario heideggeriano de la inactividad el término «renuncia». «Renuncia» significa cualquier cosa menos darse por vencido o dejarse llevar. Al igual que otras figuras de la inactividad, establece una relación constructiva con aquella esfera del ser que permanece cerrada a la actividad controlada por la voluntad. La renuncia es una *pasión por lo indisponible*. Justo en la renuncia nos volvemos receptivos al don: «La renuncia no quita. La renuncia da». El ser como lo indisponible *se da* en la renuncia. Así la renuncia se transforma en un «agradecimiento».[20]

Heidegger inserta una dimensión de inactividad incluso en el hecho de ser capaz; la capacidad [*Vermögen*], algo que de costumbre vinculamos con la actividad y el rendimiento. Piensa la capacidad en términos del querer [*Mögen*] y el amar: «Adueñarse de una "cosa" o de una "persona" en su esencia quiere decir amarla, quererla. Pensado de modo más originario, este querer significa regalar la esencia. Semejante querer es la auténtica esencia del ser capaz, que no solo logra esto o aquello, sino que logra que algo "se presente" mostrando su origen, es decir, hace que algo sea».[21] La capacidad [*Vermögen*] deja libre a una cosa o a una persona, al quererla [*mögend*], para que alcance su esencia. En contraposición a la acción humana, que se plantea como algo absoluto, la capacidad [*Vermögen*], que es algo que *no actúa*, procede a partir de lo *posible*. La propia palabra «posible» [*möglich*] deriva del verbo «querer» [*mögen*]. Lo posible [*Mögliche*] es lo que merece ser querido [*Mögenswerte*]. La capacidad [*Vermögen*] en cuanto querer [*Mögen*] deja en su esencia lo posible [*Mögliche*], lo que merece ser querido [*Mögenswerte*], en lugar de entregarlo a lo imposible [*Unmögliche*]. De esta *ética de la inactividad* depende la salvación de la tierra: «Los mortales habitan en la medida en que salvan la tierra — *retten* (salvar), la palabra tomada en su antiguo sentido, que aún conocía Lessing. La salvación no solo arranca algo de un peligro; salvar significa propiamente: franquearle a algo la entrada a su propia esencia».[22]

La noción de «protección del medio ambiente» es demasiado débil frente a las inminentes catástrofes naturales. Es necesaria una modificación radical del vínculo con la naturaleza. Ya no se trata de que la tierra sea un «recurso» con el que ahora tenemos que manejarnos «con más cuidado». Más bien es preciso que interioricemos el significado originario de *cuidar*. Heidegger lo entiende una vez más en relación con la inactividad, con el dejar-ser: «El verdadero cuidar [...] acontece cuando de antemano dejamos a algo en su esencia, cuando propiamente realbergamos algo en su esencia [...]. *El rasgo fundamental del habitar es este cuidar*».[23] La palabra *cuidar* [*schonen*] deriva de *bello* [*schön*]. El cuidado se refiere a lo bello. La tierra es bella. De ella proviene el imperativo de cuidarla, de devolverle su dignidad.

Para reparar las consecuencias catastróficas de la intervención humana sobre la naturaleza es necesaria, sin duda, una acción decidida. Pero si la causa del inminente desastre ha sido la acción humana, algo absolutamente establecido, una acción despiadada que se apodera de la naturaleza y la explota, entonces lo que debe corregirse es la propia acción humana. Por ello hace falta elevar *la dimensión contemplativa de la acción*, es decir, procurar ensanchar la acción *incorporando la meditación*.

La obligación de actuar, de producir y de rendir conduce a la falta de aire. El ser humano se asfixia en su propio hacer. En la meditación todo se vuelve «espacioso y aireado alrededor del ser humano».[24] En los *Cuadernos negros*, de Heidegger, se encuentra una frase muy digna de atención: «La diferencia de ser es el éter en el que el hombre respira. Sin ese éter, el hombre se degrada a mero ganado e incluso queda por debajo de él, y todo su hacer se rebaja a ser cría de ganado».[25] Heidegger formula aquí una *biopolítica ontohistórica*. El olvido del ser por falta de meditación nos arrebata el aliento. Degrada al ser humano a *animal laborans*. Vista la cuestión desde esta perspectiva, la inactividad adquiere un significado político. La *política de la meditación* debe eliminar esas presiones que amaestran al ser humano para que sea ganado en renta o de labor.

El Heidegger de los inicios, al igual que Arendt, está inspirado por el *páthos* de la acción. La inactividad contemplativa es algo aún completamente ajeno a él. Si bien descubre la «condición de arrojado» de la existencia humana, la «resolución» hacia la acción la eclipsa. También interpreta como exhortaciones a la acción estados de ánimo como la angustia o el tedio; estados que, en realidad, inhiben la acción. El así llamado «giro» con el que se aparta de su pensamiento anterior marca el *tránsito de la acción al ser*.

En *Ser y tiempo* la angustia constituye la disposición fundamental porque enfrenta el «*Dasein*» (denominación ontológica del ser humano) con el ser-en-el-mundo. A diferencia del temor, que se refiere sin más a *algo* en el mundo, el «frente-a-qué» de la angustia es *el mundo en cuanto tal*: «Aquello ante lo que la angustia se angustia es el estar-en-el-mundo mismo. En la angustia se hunde [...] el ente intramundano. El "mundo" ya no puede ofrecer nada, ni tampoco la coexistencia de los otros».[26] Este mundo que escapa al *Dasein* en la angustia no es el mundo en general, sino el mundo familiar, cotidiano, en el que pasamos la vida sin cuestionarnos nada. Es un mundo gobernado por «uno» [*Man*], por el conformismo del «estado interpretativo público»: «Gozamos y nos divertimos como *se* goza; leemos, vemos y juzgamos [...] como *se* ve y *se* juzga [...]. El uno, que no es nadie determinado y que son todos (pero no como la suma de ellos), prescribe el modo de ser de la cotidianidad».[27] El uno en cuanto «nadie» le quita al *Dasein* el peso de la decisión y la responsabilidad al librarlo de la *acción* en sentido enfático. El «uno» pone a disposición del *Dasein* un mundo prefabricado en el que todo ya está interpretado y decidido. La cotidianidad, con sus modelos de pensamiento y comportamiento aceptados por todos sin cuestionarlos, es el constructo del «uno». Esta le impide al *Dasein* ser *alguien* que se haga cargo expresamente de su sí-mismo por medio de la acción. El «uno» rehúsa toda visión independiente del mundo. Heidegger denomina «impropiedad» o «estado de caída» a este modo de ser. El *Dasein* existe en primer término y la mayoría de las veces de manera impropia. Se cierra a la posibilidad del más propio poder-ser. Solo la angustia abre al *Dasein* la posibilidad de hacerse cargo de su poder-ser-sí-mismo en contra de la «impropiedad», o sea, la posibilidad de *actuar*. Heidegger exige a la angustia, de este modo, algo que en realidad le está negado, puesto que la angustia implica la *imposibilidad* de actuar. Sin embargo, él la entiende como la *posibilidad* por excelencia de apoderarse del sí-mismo más propio y decidirse a la acción.

Heidegger tampoco piensa el tedio como un pájaro de sueño que incuba el huevo de la experiencia. Lo interpreta igualmente como una exhortación a la acción. En el tedio, tanto como en la angustia, al *Dasein* se le escapa el mundo, es decir, el ente en conjunto. El *Dasein* va a parar a un vacío paralizador. Todas las «posibilidades del modo de obrar» son denegadas. Sin embargo, Heidegger advierte en este denegarse [*Versagen*] un decir [*Sagen*]: «En este denegarse, ¿qué dice lo ente que se deniega en conjunto? [...] Justamente las *posibilidades* de su [del *Dasein*] modo de obrar».[28] El denegar es al mismo tiempo «un anunciar [*Ansagen*] las posibilidades que yacen dormidas» del que el ser humano debe apoderarse con determinación heroica. Del tedio brota el insistente llamamiento a resolverse a «actuar aquí y ahora». Este resolverse al «sí mismo más propio», o sea, a ser *alguien*, es el «*instante*».[29]

Ser y tiempo está dominado íntegramente por el énfasis en el sí-mismo y en la acción. También la muerte es entendida en términos de poder-ser-sí-mismo. Frente a la muerte como «extrema posibilidad» «de renunciar a sí mismo» despierta un *yo-soy* enfático. La muerte como *mi* muerte se vincula al énfasis en el sí-mismo. Conduce a una contracción del sí-mismo. Heidegger permanece cerrado a aquella experiencia de la muerte que me lleva a aflojar las trabas del mí-mismo. Este tipo de muerte dice lo siguiente: frente a la muerte *me* doy la muerte, en lugar de aferrarme a mi ego. Esta muerte me libera en dirección a lo *otro*. Frente a la muerte despierta una *serenidad*, una *amabilidad hacia el mundo*.[30]

El énfasis en el sí-mismo se vincula con la determinación a la acción. Es una *forma de actividad*. En la inactividad no se produce ningún sí-mismo determinado a nada. El maestro de la inactividad no dice «yo». En *Ser y tiempo* no existe ningún espacio para inactividades. El mundo es siempre un «mundo del obrar». Las cosas son herramientas. Todo está sometido al *para-algo*. La constitución fundamental de la existencia humana se llama «cuidado». Al lado de la «cotidianidad» no hay *festividad*. En *Ser y tiempo*, las fiestas y los juegos, en los que se suspende el «cuidado» en su totalidad, están ausentes por completo.

Algunos años después de *Ser y tiempo*, Heidegger realiza el tránsito de la acción al ser. El *páthos* de la acción retrocede frente al *asombro por el ser*: «El festejo, en cuanto interrupción del trabajo, ya es contenerse, es prestar atención, es preguntar, es meditación, es expectación, es dar el paso hacia un presentimiento más despierto del milagro, del milagro de que en general un mundo mundee a nuestro alrededor, de que haya ente y no más bien nada, de que haya cosas y nosotros mismos existamos en medio de ellas».[31] El énfasis en el sí-mismo y la determinación a la acción que gobiernan *Ser y tiempo* cesan por completo. La angustia y el tedio ya no van unidos a la exhortación a la acción. Revelan el *ser*. En ello se asemejan al amor: «El tedio profundo [...] reúne a todas las cosas y a los hombres y, junto con ellos, a uno mismo en una común y extraña indiferencia. Este tedio revela lo ente en su totalidad. Otra posibilidad de una revelación de este tipo se esconde en la alegría que nos procura la presencia del *Dasein* —y no de la mera persona— de un ser querido».[32]

Después del «giro», Heidegger llega a la conclusión de que son solo las inactividades como la fiesta y el juego las que dan esplendor a la existencia humana. Descubre lo festivo. Ya no se habla más del «cuidado» o la «angustia». El gris de la cotidianidad cede el paso al esplendor festivo: «El esplendor forma parte de lo festivo. Pero el esplendor proviene, en realidad, del resplandor y el brillo de lo esencial. Tan pronto como esto esencial brilla, todo lo referido a las cosas y las personas accede a la liviandad de su esplendor y este, a su vez, demanda del ser humano el ornato y el adorno. [...] El juego y la danza forman parte del esplendor de la celebración».[33] El juego y la danza están completamente liberados del para-algo. Y el ornato no adorna nada. No es una «cosa». Las cosas, liberadas del para-algo, se tornan festivas ellas mismas. No «funcionan», sino que *brillan* y *resplandecen*. De ellas brota una tranquilidad contemplativa que posibilita una pausa.

En la fiesta en cuanto forma del esplendor de la existencia humana se afloja toda la *espástica existencial* del *Dasein* determinado a la acción. La festividad libera a la existencia humana de la estrechez del propósito y la acción, de las trabazones de la meta y la utilidad. Donde campea el *ánimo festivo* se suprime el *tiempo espasmódico* del «cuidado», la tensión existencial que brota del sí-mismo. El énfasis en el sí-mismo cede el paso a la serenidad y el desenfado. La pausa contemplativa reemplaza al *páthos* de la acción.

Hay huellas de pensamientos, en Heidegger, que se condensan en una *ética de la inactividad*. Esta remite tanto al plano interpersonal como al vínculo con la naturaleza. Poco antes de morir, el filósofo redactó un pequeño escrito titulado «Rememoración pensante de Marcelle Mathieu». El asunto del escrito es la hospitalidad de su anfitriona en la Provence, ya fallecida. Heidegger evoca primero el gran paisaje de la patria de ella, como si su hospitalidad brotara de manera inmediata de su relación intensa con el paisaje. Destaca el *recato* que ella experimenta ante el paisaje: «Lo inaparente de su recato solo llegaba a aparecer cuando la señora de Les Champhoux invitaba a los amigos a las alturas de Rebanqué, con su multiforme panorámica sobre el gran paisaje».[34] El gran paisaje llena a la anfitriona de un «recato maravillosamente raro» que la lleva a *replegarse sobre sí misma, a desarmarse y vaciarse*. Su recato ante el paisaje se prolonga en el plano interpersonal y se manifiesta como hospitalidad.

El *punto de referencia sobresaliente* enfrente de uno que es el gran paisaje pone al espectador en un estado de recato ante lo indisponible. De igual modo habla Heidegger de un «recato vacilante ante lo irrealizable».[35] Quien es tomado por el recato *se* entrega a *lo otro del sí-mismo*. En el recato despierta una atención particular, una *receptividad amable* hacia el otro. Esta receptividad nos enseña a *escuchar*. Transforma a la anfitriona en una *oyente* atenta: «En las conversaciones de los amigos, ella era la oyente silenciosamente atenta, preocupada tan solo por el bienestar de estos. No era allí ni señora ni criada, sino que, conteniéndose por encima de ambas, era dócil a algo inexpresado. Probablemente mantuvo con ello diálogos silenciosos en las largas y numerosas caminatas que la conducían, totalmente sola, por el campo de la tierra natal».[36] Heidegger vincula aquí la facultad de la escucha al poder de lo «inexpresado», que se da a conocer en el gran paisaje. La anfitriona de Heidegger *se* aleja escuchando, dejándose determinar [*be*-stimmen] por lo «inexpresado». Lo «inexpresado» es el *lenguaje de la tierra*, el cual se sustrae a la voluntad humana. La salvación de la tierra depende de si seremos o no capaces de *escucharla*.

En los *Diálogos en los caminos del campo*, Heidegger comenta sobre el huésped lo siguiente: «Sabe escuchar y hacerlo, de hecho, de un modo tan solícito que para mí, a partir de este gesto y esta actitud predominantes, es algo así como el huésped por antonomasia».[37] Frente al gran paisaje, la anfitriona de Heidegger se experimenta a sí misma como huésped. Está *invitada entre la tierra y el cielo*. No es «ni señora ni criada». En cuanto huésped, se somete a lo «inexpresado» al escucharlo. *Su recato agudiza su escucha.*

La *ética del recato* de Heidegger se cumple de una manera anecdótica en su anfitriona: «¿Y el recato? Nos dejó una preciosa huella de él aquí, en Friburgo, cuando, encontrándose delante de nuestra casa con la intención de visitarnos, no se atrevió a llamar y volvió a marcharse. De esta forma, lo no ejecutado es a veces más poderoso y duradero que lo dicho y efectuado».[38] Heidegger también habría podido decir: el no-hacer es más poderoso que todo lo hecho y producido. *La ética del recato es la ética de la inactividad.*

LA ABSOLUTA FALTA DE SER

La crisis del presente consiste en que todo lo que podría darle sentido y orientación a la vida se está derrumbando. La vida ya no se *apoya* en nada resistente que la sostenga. El verso de Rilke de las *Elegías de Duino* «Pues en parte alguna hay permanencia» expresa del mejor modo posible la crisis del presente. La vida nunca fue tan escurridiza, pasajera y mortal como hoy.

La «perennidad», afirma Hannah Arendt, «ha desaparecido del mundo que rodea a los humanos y de la naturaleza que rodea al mundo». A cambio, ha «encontrado un incierto reparo para pasar la noche en la oscuridad del corazón humano», que sigue teniendo la capacidad de «recordar y decir: para siempre». Lo que era lo más perecedero, a saber, el mortal ser humano, se ha «tornado el último refugio de la perennidad». Arendt remite aquí a unos versos de Rilke: «Las montañas descansan bajo un brillo de estrellas; / pero también en ellas titila el tiempo. / ¡Ay, en mi salvaje corazón pasa la noche, / desamparada, la perennidad!».[1] El poema citado por Arendt es, en realidad, un lamento por el *ser* que mengua sin cesar. La primera estrofa es: «¡Curiosa expresión, "pasar el tiempo"! / *Retenerlo* sería el problema. /

Pues ¿a quién no lo aterra?: / ¿en dónde hay permanencia?, / ¿dónde un por fin *ser* en todo esto?».

El corazón humano no puede brindar hoy ningún refugio a la perennidad. Si el corazón es el órgano del recuerdo y la memoria, en la era digital estamos absolutamente desprovistos de corazón. Almacenamos cantidades impresionantes de datos e informaciones, pero sin recordar. Nos apartamos de cualquier forma de «para siempre». Abjuramos de las prácticas que toman mucho tiempo, como la fidelidad, la responsabilidad, la promesa, la confianza y el compromiso. La vida es gobernada por lo provisional, por lo a corto plazo y por lo inconstante.

El propio tiempo se descompone cada vez más en el mero sucederse de un presente puntual. Se está volviendo aditivo. No hay ninguna narración que pueda detenerlo dándole la forma de una *estructura*. Se están erosionando las arquitecturas temporales. Los rituales y las fiestas son arquitecturas temporales de esta clase, que le colocan (por así decir) andamios y junturas al tiempo que va pasando y, con ello, le dan estabilidad. Estas arquitecturas se están desmantelando más y más porque entorpecen la circulación acelerada de la información y el capital.

La digitalización y la informatización del mundo seccionan el tiempo y convierten la vida en algo radicalmente pasajero. El *ser* tiene una dimensión temporal. Crece a lo largo y lentamente. El cortoplacismo actual lo desmantela. El *ser* solo se condensa en la pausa. Pero es imposible hacer un alto en informaciones. Las informaciones constituyen el *grado absoluto de merma del ser*. Ya Niklas Luhmann afirmó acerca de la información que «su cosmología no es una cosmología del ser, sino de la contingencia».[2] El ser se desintegra para convertirse en informaciones. Solo prestamos atención a las informaciones durante un momento. Luego su estatus de ser va tendiendo a cero, como el mensaje en el contestador automático que ya se escuchó. Las informaciones poseen un margen de actualidad muy estrecho. Viven del atractivo de la sorpresa y nos precipitan a un frenesí de actualidad.

El ser humano es un *animal narrans*, un *animal narrador*. Nuestra vida, sin embargo, no está siendo determinada por un relato vinculante, coercitivo, que nos pueda dar sentido y orientación. Estamos muy bien informados, pero carecemos de orientación debido a la ausencia de un relato. Si la felicidad humana, como dice Nietzsche, depende de que haya una «verdad *indiscutible*»,[3] entonces estamos realmente desprovistos de felicidad. La verdad es un relato. Las informaciones, por el contrario, son aditivas. No se condensan en un relato. Las informaciones refuerzan la *tormenta digital de contingencias* y agudizan la falta de ser. Nada promete compromiso y duración. La contingencia intensificada desestabiliza la vida.

El mundo actual es muy pobre en cuanto a un plano simbólico capaz de fijar ejes temporales estables. La percepción simbólica, como *un nuevo reconocimiento*, visualiza lo *duradero*. Las *repeticiones* profundizan el ser. La percepción simbólica está liberada de la contingencia.

En ello se diferencia de la percepción serial, que presta atención a una información y después a la siguiente. Los datos y las informaciones no tienen potencia simbólica.

Lo simbólico repercute de manera inmediata en la percepción. En los niveles prerreflexivos, emocionales, estéticos, influye sobre nuestro comportamiento y sobre nuestro pensamiento. Los símbolos producen *cosas comunes* que hacen posible el *nosotros*, la cohesión de una sociedad. Solo por medio de lo simbólico, por medio de lo estético, se construye el *sentir compartido*, el *sim-páthos* o la *co-pasión*. En el vacío simbólico, por el contrario, la sociedad se divide en individuos indiferentes, porque ya no existe lo asociativo y vinculante. La pérdida del *sentir compartido* propiciado por lo simbólico agudiza la falta de ser. La comunidad es una totalidad que se transmite simbólicamente. El vacío simbólico-narrativo, pues, conduce a la segmentación y a la erosión de la sociedad.

En el *Simposio*, el diálogo de Platón, aprendemos qué es, en realidad, un símbolo. Allí cuenta Aristófanes que los humanos eran, en su origen, seres esféricos. Como se habían vuelto demasiado poderosos y arrogantes, los dioses los partieron en dos. Desde entonces cada una de estas mitades aspira a la reunión con su otra mitad. Este trozo se llama, en griego, *sýmbolon*. El ser humano en cuanto *sýmbolon* anhela una totalidad sana y sanadora. Este anhelo es el amor. La totalidad que ha de ser reconstruida cura las heridas y suprime la falta de ser que se remonta a una fisura originaria: «El símbolo, la experiencia de lo simbólico, quiere decir que este individual, este particular, se representa como un fragmento de Ser que promete complementar en un todo íntegro al que se corresponda con él; o, también, quiere decir que existe el otro fragmento, siempre buscado, que complementará en un todo nuestro propio fragmento vital».[4] Lo simbólico promete una plenitud de ser, una salvación. Sin el ordenamiento simbólico, somos trozos y fragmentos.

Hoy invertimos lo mejor de nuestro empeño en alargar la vida. En realidad, la vida se está reduciendo a supervivencia. *Vivimos para sobrevivir.* La histeria de la salud y la manía de la optimización son reflejos ante la falta de ser reinante. Procuramos compensar el déficit de ser por medio de la prolongación de la vida desnuda. Entretanto, perdemos todo sentido de la *vida intensa.* La confundimos con más producción, más rendimiento y consumo, los cuales, sin embargo, no constituyen más que *formas de supervivencia.*

La falta de ser también se debe al proceso económico que cada vez aísla más a las personas unas de otras. Aislamiento y soledad conducen a la falta de ser porque *ser es ser-con* [*Mitsein*]. En la sociedad neoliberal del rendimiento no se construye ningún *nosotros.* El régimen neoliberal aumenta la productividad aislando a las personas y entregándolas a una brutal competencia. Transforma la vida en una lucha por la supervivencia, en un infierno de competencia desenfrenada. Éxito, rendimiento y competición son formas de supervivencia.

La digitalización también desmantela al ser en cuanto ser-con. Estar conectado no es lo mismo que estar vinculado. La conectividad sin límites es justo lo que debilita la vinculación. Una relación intensa presupone un *otro* que escapa a la disponibilidad. Con la ayuda de la conexión digital hacemos del otro, del *tú*, un *ello* a disposición, lo cual conduce a una *soledad primordial*. Un objeto consumible que satisface nuestras necesidades no consiente una vinculación intensa. De este modo, a pesar de la creciente conexión y conectividad, estamos más solos que nunca.

Una vinculación intensa surge cuando connotamos un objeto con energías libidinosas. Un reflujo de las energías psíquicas, sin embargo, lleva a que estas no fluyan hacia el otro, sino que vuelvan a correr hacia el yo. Este reflujo psíquico, el embotellamiento de energías libidinosas no ocupadas, nos genera angustia. La angustia surge cuando falta la vinculación con el objeto. Entonces el yo gira en torno a sí mismo, vuelto sobre sí mismo, sin mundo. El eros ausente agudiza la falta de ser. Solo el eros puede derrotar a la angustia y la depresión.

La falta de ser provoca un exceso de producción. La hiperactividad y la hipercomunicación actuales se pueden entender como una reacción a la falta de ser reinante. La falta de ser se contrarresta con el crecimiento material. De este modo, *producimos contra* el sentimiento de falta. La producción, probablemente, alcanza su máximo nivel *en el grado cero del ser*. El capital es una forma de supervivencia. El capitalismo se nutre de la ilusión de que más capital produce más vida, más capacidad de vivir. Pero esa vida es una vida *desnuda*, una supervivencia.

Un sentimiento de falta impulsa a realizar acciones. Quien actúa con determinación no contempla. En cambio, quien exclama, como Fausto, «¡Detente, eres tan bello!» no actúa. La plenitud de ser en cuanto *belleza* se alcanza en la contemplación. El conocimiento de que la felicidad más elevada se debe a la contemplación se nos ha escurrido entre los dedos. Tanto en la Antigüedad como en la Edad Media, la felicidad se buscaba en la observación contemplativa. El poeta griego Menandro escribe:

> Feliz entre todos llamo, Parmeno,
> al hombre que ha *contemplado* sin pesar las excelencias
> de este mundo [...],
> el sol que brilla para todos, las estrellas,
> el mar, el paso de las nubes, el fulgor del fuego:
> si vives cien años, lo estarás viendo constantemente,
> y aunque muy pocos vivieras,
> nunca verás nada más elevado.[5]

A la pregunta sobre para qué había venido al mundo, el filósofo griego Anaxágoras respondió: «Para contemplar» (*eis theorían*).[6] En el momento del nacimiento se nos libera de una oscuridad sin objetos en dirección hacia el mundo luminoso. No para actuar más que para contemplar abre los ojos el niño recién nacido. Lo que funda la *natalidad* no es la acción, sino la contemplación;

no es el *páthos* de lo nuevo, sino el asombro ante lo que *es*. Nacer significa ver la luz del mundo. Vivir es idéntico, en Homero, a «contemplar la luz del Sol».[7]

La vida activa posee, sin duda, su validez y su legitimidad propias, pero tiene su fin último, según Tomás de Aquino, en la felicidad de servir a la vida contemplativa: «Vita activa est dispositio ad contemplativam».[8] La vida contemplativa es el «objetivo de toda vida humana» (*finis totius humanae vitae*).[9] La observación contemplativa es toda la recompensa que recibimos a cambio de nuestros esfuerzos: «Tota merces nostra visio est».[10] Y la obra, como resultado de la actividad, también se completa cuando se brinda a la contemplación.

En su comentario a la *Ética nicomáquea*, Tomás define la política de un modo muy particular. Plantea una *política de la inactividad* que se opone diametralmente a la comprensión de Arendt de lo político. La política acaba en nada si no se abre a lo no-político. Tiene su fin último en la inactividad, en la contemplación: «Es a la felicidad del contemplar hacia lo que parece estar ordenada la totalidad de la vida política: la paz, por tanto, que se funda y se salvaguarda, en virtud de la finalidad de la vida política, coloca a los hombres en la situación de entregarse a la contemplación de verdad».[11]

Frente al ser perfecto, sin faltas, solo son posibles *la contemplación y la alabanza*. Así es que *De civitate Dei*, de Agustín, al concluir con la presencia de la divina plenitud de ser en el *sabbat*, adopta un lenguaje propio del himno. El *sabbat* promete el reino de Dios «que no tiene fin». Pero ¿qué harán los seres humanos en el eterno reino de los cielos? «Entonces descansaremos» (*vacabimus*) «eternamente» (*in aeternum*), celebra Agustín, «y contemplaremos, contemplaremos» (*videbimus, videbimus*) y «amaremos, amaremos» (*amabimus, amabimus*) y «alabaremos» (*laudabimus*). «Helo aquí —sigue Agustín— lo que haremos en aquel fin sin fin».[12] En Agustín, la contemplación y el amor se tornan una única cosa. Solo donde está el amor los ojos se abren (*ubi amor, ibi oculus*).[13] Contemplación y alabanza son formas de la inactividad. No persiguen ninguna meta ni producen nada. Es solo la falta de ser la que da impulso a la maquinaria de la producción.

La alabanza es el fin último del lenguaje. Es lo que le confiere un esplendor festivo. En la alabanza se supera toda falta de ser. Ella canta a y evoca la plenitud de ser. Rilke eleva en un poema la alabanza haciendo de ella la tarea del poeta: «Oh, di, poeta, ¿qué haces tú? — Alabo».[14] En la alabanza del poeta el lenguaje alcanza una tranquilidad festivo-contemplativa. La alabanza es el *sabbat del lenguaje*. Manifiesta el «por fin *ser*» que atraviesa el mortal corazón humano con su resplandor: «¡Celebrar, esto es! Uno cuya misión es celebrar / surgió igual que el bronce del silencio / de la roca. Su corazón, oh lagar perecedero / de un vino infinito para los humanos. / Jamás le faltará junto al polvo la voz, / si el ejemplo divino le acomete. / Todo se vuelve viña, todo uva, / maduro en su sensible mediodía».[15]

Rilke diferencia el alabar del solicitar: «Solicitación ya no, no solicitación, voz emancipada».[16] A las solicitaciones les es inherente una falta. Son propias de la pura vida, del «animal preocupado»,[17] cuyo rasgo característico es el *cuidado*. La alabanza, por el contrario, se ha *emancipado* de todo esfuerzo, de todo cuidado. En ello consiste su festividad. Allí donde reina la falta de ser, la alabanza no se presenta. Allí solo hay *ruidosas solicitaciones*. La comunicación actual es, en su totalidad, una pura solicitación como forma de supervivencia. Se enciende en el *grado cero del ser*.

El tiempo de fiesta es un tiempo de contemplación intensificada. El «sentimiento de festividad»[18] es un sentimiento intensificado. Las fiestas iluminan el mundo proporcionando sentido y orientación: «La fiesta indica el sentido de la existencia cotidiana, la esencia de las cosas que rodean al hombre y de las fuerzas que actúan en su vida. La fiesta, como una realidad del mundo del hombre [...], significa que la humanidad es capaz de ser *contemplativa* en periodos de tiempo que retornan según un cierto ritmo y es también capaz de, en este estado, toparse directamente con las realidades superiores en las que reposa toda su existencia».[19] El tiempo de las fiestas, que *transitamos* [*begehen*] como yendo por espacios festivamente adornados, no es un tiempo que *pasa* [*vergeht*]. Es un *tiempo de apogeo*. La fiesta provoca una atemporalidad en la que toda falta de ser es remediada.

El trabajo desconecta y aísla a las personas. La absolutización del trabajo y el rendimiento desmantela el ser en cuanto ser-con. La fiesta, por el contrario, crea comunidad. Reúne y une a las personas. El sentimiento de festividad es siempre un *sentimiento de comunidad*, un *sentimiento-de-nosotros*. Hans-Georg Gadamer entiende la fiesta como el fundamento de la comunidad: «La fiesta es comunidad, es la presentación de la comunidad misma en su forma más completa».[20]

Cuando la contemplación era el vínculo primario del ser humano con el mundo, aún tenía una relación con el ser divino sin falta. La palabra griega *theoría* (contemplación) designaba, en un principio, a la embajada festiva que marchaba hacia un lugar lejano para asistir a la festividad de una divinidad. La contemplación de lo divino es *theoría*. Se llama *theorós* a quien es enviado a esa fiesta. Los *theoroí* son entusiastas contempladores de divinidades. Una contemplación intensificada festivamente convierte al espectador en *theorós*: «Esquilo se refería a una visión más grande y más ceremoniosa en su inmensidad cuando decía *theorós* en vez de *theatés* para designar a los espectadores».[21] Los filósofos también son *theoroí* en la medida en que se ocupan del conocimiento de lo divino. El erudito alejandrino Harpocración describe a los *theoroí* de la siguiente manera: «Se llama *theoroí* no solo a los espectadores, sino también a quienes son enviados a los dioses, y en general se llamaba así a quienes protegían los misterios divinos o se ocupaban de asuntos divinos».[22] Cuando Aristóteles eleva el *bíos theoretikós* —la vida contemplativa— a actividad divina y la convierte en sede de la dicha perfecta, tiene sin duda en mente la contemplación divina cultual propia de la *theoría*: «Y ahí está por último Aristóteles, que no compara en absoluto la *theoría* del filósofo con una visión cualquiera, sino con la de Olimpia, a la cual se enviaban en efecto *theoríai*, o con la de las fiestas de

Dioniso. Encuentra allí lo divino con independencia de cualquier relación con el culto».[23]

El ser humano tiene la capacidad de un *bíos theoretikós* porque «tiene en sí algo divino». Aristóteles destaca explícitamente que los dioses *no actúan*: «Consideramos que los dioses son en grado sumo bienaventurados y felices, pero ¿qué género de acciones hemos de atribuirles? ¿Acaso las acciones justas? ¿No parecerá ridículo ver a los dioses haciendo contratos, devolviendo depósitos y otras cosas semejantes? ¿O deben ser contemplados afrontando peligros, arriesgando su vida para algo noble? ¿O acciones generosas? Pero ¿a quién darán? Sería absurdo que también ellos tuvieran dinero o algo semejante. Y ¿cuáles serían sus acciones moderadas? ¿No será esto una alabanza vulgar, puesto que los dioses no tienen deseos malos? Aunque recurriéramos a todas estas virtudes, todas las alabanzas relativas a las acciones nos parecerían pequeñas e indignas de los dioses. Sin embargo, todos creemos que los dioses viven y que ejercen alguna actividad, no que duermen, como Endimión. Pues bien, si a un ser vivo se le quita la acción y, aún más, la producción, ¿qué le queda, sino la contemplación?».[24] La actividad propia de la divinidad, que «sobrepasa todo en beatitud», es la contemplativa (*theoretiké*). La actividad contemplativa es una inactividad, un reposo contemplativo, un ocio (*scholé*), en la medida en que, al contrario que la vida activa (*bíos politikós*), no *actúa*, es decir, en la medida en que no tiene su meta fuera de sí misma. En la inactividad en cuanto ocio la vida se vincula consigo misma. Ya no se distancia de sí misma. Aristóteles enlaza de este modo el *bíos theoretikós* con la autarquía: «Además, la dicha autarquía se aplicará, sobre todo, a la actividad contemplativa».[25] Solo la vida contemplativa promete la autosuficiencia divina, la dicha perfecta.

La historia culmina en el momento en que la acción cede el paso a la contemplación, o sea, en el *sabbat de la inactividad*. La visión de una persona que está de pie profundamente absorta frente a una obra de arte lleva al filósofo George Santayana a la suposición decididamente filosófica de que «todos los esfuerzos de los hombres y toda la Historia, si a algo tendían, era a ser coronados solamente en la contemplación».[26]

EL *PÁTHOS* DE LA ACCIÓN

En la fe judía hay dos conceptos que son sagrados (*qadosch*): Dios y *sabbat*. Dios es *sabbat*. Para un judío devoto toda la vida es un «anhelo del *sabbat*».[1] El *sabbat* es redención. En el *sabbat* el ser humano es inmortal. Se supera el paso del tiempo. El *sabbat* es un «palacio en el tiempo»[2] que redime a los humanos llevándolos del mundo pasajero hacia ese mundo que ha de venir (*Olam Haba*). *Menucha* (el reposo) es un sinónimo del mundo por venir. El sentido profundo del *sabbat* es que la historia es superada al ingresar en la feliz inactividad.

La creación del ser humano no es el último acto de la Creación. La Creación culmina con el reposo del *sabbat*. De ahí que Rashi escriba en su comentario al Génesis: «¿Qué era lo que le faltaba al mundo? El reposo mismo. Al llegar el Shabat, llegó el reposo; entonces concluyó y fue completada la obra de la Creación».[3] No se trata solo de que el reposo del *sabbat* sigue al trabajo de la Creación. Más bien ocurre que con él se lleva la Creación a su término. El mundo creado a lo largo de seis días es similar a una cámara nupcial. A esta le falta aún la novia. Con el *sabbat* llega la novia.[4] La fiesta del *sabbat* es un tiempo de apogeo, un tiempo que está detenido. El *sabbat* no es un día de reposo después del acto de la Creación en el que Dios se estaría recuperando del agotador trabajo que ha llevado a cabo. El reposo es, más bien, el elemento esencial de la Creación. Solo el *sabbat* otorga a la Creación una consagración divina. Divino es el reposo, la inactividad. Sin el reposo, el ser humano pierde lo divino.

Una frase de John Adams, a quien Arendt admiraba y a quien cita en su ensayo *Revolución y libertad*, expresa de manera inequívoca su mentalidad: «Es en la acción y no en el reposo donde encontramos satisfacción».[5] A pesar de tratarse de una pensadora judía, el pensamiento de Hannah Arendt carece de toda dimensión *sabbática*. Es el mesianismo de la libertad y la acción lo que anima su pensamiento. Según Arendt, la Creación no culmina con el *sabbat*, sino con la creación de la libertad humana. Lo que es divino no es el reposo del *sabbat*, sino la libertad como principio del nuevo comienzo: «Con la creación del ser humano, el principio del comienzo —el cual, en el momento de la Creación del mundo, aún estaba en manos de Dios y por ello permanecía fuera del mundo— entró en el propio mundo y seguirá siendo inmanente a él mientras siga habiendo seres humanos; lo cual, naturalmente, no es, en última instancia, sino otra manera de decir que la creación del ser humano como un "alguien" coincide con la creación de la libertad».[6] No es que antes de la creación del ser humano, según Arendt, no hubiera «nada, sino que no había nadie». El ser humano es un «alguien» en la medida en que actúa, es decir, en la medida en que pone algo nuevo en el mundo.

Arendt también elimina del mundo griego la dimensión contemplativa. La polis griega consta, como es sabido, de tres espacios: *oîkos*, *agorá* y *témenos*. Al *témenos*, en cuanto esfera de la contemplación religiosa, Arendt no le dispensa la menor atención, al tiempo que totaliza la esfera política como *la polis en general*. Al hacerlo, contrapone lo político al *oîkos*, al ámbito de la casa, el hogar y la familia, donde ubica la escasez y las necesidades de la pura vida. Los seres humanos solo son libres cuando abandonan la casa y acceden al espacio político. Arendt idealiza la polis griega como una utopía de lo político, como una venerable esfera de libertad. La polis es el «escenario» del «alguien» que aspira a la gloria y el reconocimiento y hasta a la inmortalidad, que está animado por la pasión de ser el «mejor» y realizar lo «extraordinario»: «La polis tenía la tarea de facilitar regularmente las oportunidades para que uno pudiera ganarse la "gloria inmortal", o bien de organizar las ocasiones en las que cualquiera pudiera destacarse y exhibir con dichos y hechos quién era, en toda su singularidad excepcional».[7] La concepción de la polis de Arendt se basa en la necesidad de redención. La polis debe procurar que «la más pasajera de todas las actividades de los mortales», a saber, la acción, alcance la «perennidad». La polis es un «escenario perpetuo» del que solo «se sube, pero no se baja». Solo la acción política le concede al ser humano la inmortalidad. El anhelo de gloria eterna es el *movens* de la historia.

Según Arendt, solo un «alguien» que aparezca ante un público y exhiba su singularidad puede reclamar para sí la realidad. Quien no actúa solo posee un «modo de ser» animal. La vida por fuera del escenario de lo político es una vida animal. Le falta el «modo de estar en la realidad»: «En términos humanos y políticos, la realidad y la aparición son lo mismo».[8] La vida y la acción se vuelven una única cosa. Tal como Arendt entiende la vida, no hay lugar para la vida contemplativa, que no precisa de «escenario» ni de «aparición», pero que, de cualquier forma, es todo menos animal. El «sentimiento de realidad», que se debe exclusivamente a la acción, es decir, al producir un efecto y provocar algo, expulsa completamente al *sentimiento de ser*. El *sentimiento de festividad*, en el que se puede experimentar una realidad más elevada, es ajeno a Arendt.

Arendt expulsa al *témenos* de la polis griega. El *témenos* es un espacio sagrado, recortado del espacio público, reservado para las deidades; un *períbolos* (literalmente, «tapia» o «cerco»), es decir, un espacio vallado, un terreno destinado a un templo rodeado y delimitado por muros. El *témenos* es un *templum*, un sitio consagrado, sagrado, un templo, un sitio para la observación contemplativa. La palabra «contemplación» proviene de *templum*. Filosóficamente hablando, el *témenos* es un reino de ideas perennes: «En este espacio recortado se yerguen las ideas. Las ideas son inespaciales e intemporales. Uno puede apercibirse de ellas si observa con una mirada teórica».[9]

El *témenos* domina la ciudad desde lo alto. De ahí que sea habitual que se lo establezca sobre la colina. La polis griega es impensable sin esa *acró-polis* (literalmente, «ciudad alta» o «ciudad superior»). La acrópolis está destinada a lo divino: «Dentro de este espacio tienen validez otras reglas con respecto a las de fuera. Lo que acontece aquí es realizado de manera manifiesta frente a la deidad y lo que se encuentra aquí es y seguirá siendo posesión de la deidad».[10] La acrópolis es todo menos el «escenario» del «alguien». El *páthos* de la acción no es un modo adecuado de vincularse con el *témenos*. En las acciones culturales las personas se funden, en cualquier caso, en un cuerpo colectivo que no consiente la individualidad de ningún «alguien». Son los dioses quienes hacen su aparición en el *témenos* y tienen la voz de mando.

Heidegger tiene en mente la acrópolis cuando, en su viaje por Grecia, dice sobre la polis: «Así pues, esta polis no conocía la subjetividad como referencia de toda objetividad. Se exponía a la fuga de los dioses, quienes a su vez estaban sometidos al destino, la Moira».[11] Arendt reinventa la polis griega cuando la presenta como el escenario del «alguien», el proscenio de la libertad y la acción. La dimensión cultural de la polis griega, con ello, se suprime del todo. Las fiestas de los dioses no existen en la polis de Arendt. Fiestas, rituales y juegos no tienen lugar en su pensamiento determinado solamente por el *páthos* de la acción.

Arendt idealiza la polis griega como el «cuerpo político más individualista [...] el más inconformista [...] que conozcamos en la historia».[12] Sigue resultando misterioso, sin embargo, qué es lo que sucedía en este espacio político santificado. La polis transformada en una utopía de lo político se resiste a una determinación más precisa en lo referente a su contenido. Así es que la Judith N. Shklar, alumna suya, señala que «el sueño político propio de Arendt siguió estando ligado a la polis. A pesar de toda la información que nos proporciona Aristóteles, ella nunca manifestó con claridad qué era lo que acontecía efectivamente en este "espacio público" bendito».[13] La polis nunca estuvo libre de las «preguntas sociales» que Arendt quiso desterrar desdeñosamente al reino de la necesidad, al ámbito de la pura vida. También la *Apología* de Platón hace que se tambalee la imagen ideal de la polis de Arendt. Sócrates critica allí el conformismo reinante en la polis: «En efecto, sabed bien, atenienses, que si yo hubiera intentado anteriormente realizar actos políticos (*politiká prágmata*), habría muerto hace tiempo [...]. Y no os irritéis conmigo porque digo la verdad. En efecto, no hay hombre que pueda conservar la vida, si se opone noblemente a vosotros o a cualquier otro pueblo y si trata de impedir que sucedan en la ciudad muchas cosas injustas e ilegales».[14] La libertad de expresión y el decir la verdad (*parrhesía*) son peligrosas en la polis. Quien, por motivos nobles, declara la verdad y se opone, al hacerlo, a la voluntad de la multitud, debe correr el riesgo de ser asesinado.

El pensamiento de Arendt se nutre de la utopía de lo político. Lo político, donde Arendt sitúa la libertad humana, es el rayo de luz redentor que interrumpe la «tiniebla de la criatura», la oscuridad de la pura vida, y eleva esta última hacia la «claridad de lo humano». Para Arendt es válido lo siguiente: el *ser* es algo propio de la criatura. Lo humano es la *acción*. Arendt le confiere a lo político una dignidad ontológica e incluso soteriológica. Eleva la polis al rango de «espacio cercado del acto libre y la palabra viva» que hace «resplandecer» la vida humana.[15]

La polis es un espacio de libertad «cercado». En el original inglés la expresión «cercado» no figura. Arendt añade la palabra al volcar el texto al alemán. La *agorá* en cuanto espacio público [*öffentlich*] está realmente abierta [*offen*]. Solo el *témenos* está cercado. Inconscientemente, Arendt hace de la polis griega un *templo de la libertad*. La expresión «cercado» revela mucho sobre la constitución de lo político en la autora. Ella alza elevadas vallas para la polis, para resguardarla de aquellas fuerzas que enredan a los seres humanos en la pura vida, en el reino de la necesidad. Solo la libertad de la acción en cuanto esencia de lo político diferencia a los seres humanos de los «meros seres vivos» que «viven y mueren como animales». El ser humano accede al reino de la libertad cuando se libera de la «servidumbre del proceso biológico de la vida».[16] Únicamente la libertad de la acción libera al ser humano de la urgencia y la necesidad de la pura vida. Esta marca el momento del *segundo nacimiento* que eleva a los seres humanos sobre el nivel de la criatura: «Hablando y actuando intervenimos en el mundo de los humanos que existía antes de que naciéramos en él y esta intervención es como un segundo nacimiento».[17]

La utopía de Arendt de lo político se manifiesta de la mejor manera en su idea de la revolución. La revolución es, según ella, la expresión más elevada de la libertad humana. Es el sinónimo de la libertad como nuevo comienzo: «Lo que las revoluciones pusieron de vuelta en el primer plano de las experiencias humanas fue la experiencia de la acción-en-libertad, [...] la experiencia de la capacidad humana de poder comenzar algo nuevo. [...] Solo en donde prevalece este *páthos* del nuevo comienzo y en donde este está enlazado con ideas de libertad tenemos el derecho a hablar de revoluciones».[18] Arendt proyecta su utopía de lo político a la revolución. El objetivo de la revolución no es, por consiguiente, la liberación de la urgencia, la miseria, el dolor, la pobreza, la injusticia y la opresión, sino la fundación de la libertad. Ni siquiera la ampliación de los derechos inalienables del ciudadano a toda la humanidad es algo revolucionario. Esta ampliación de derechos, en cuanto libertad de coacciones injustificadas, no implica más que una libertad negativa, es decir, una liberación. Solo es verdaderamente revolucionaria la fundación de la libertad que le concede a todos el acceso al espacio público. La liberación solo es una condición necesaria para la libertad como forma de vida política. A la liberación como libertad negativa no la sigue forzosamente la libertad como participación en la vida pública.

La noble idea de libertad de Arendt, o incluso su mesianismo, destierra todas las cuestiones sociales, lo social en general, al reino de la necesidad. Lo político se desliga por completo de lo social. Lo social encarna la pura vida que impide el acceso al reino de la libertad. Según Arendt, la Revolución francesa fracasa a causa de lo social. La miseria de las masas constituye un «obstáculo para la libertad». La apremiante urgencia de la masa y su intento de liberarse de ella no son una ventaja para la realización de la idea de libertad. Al pueblo que ha caído en la pura vida se le niega lo político. La urgencia social aparece con su miseria en el escenario político y asfixia a la naciente idea de libertad: «De ser cierto, como todos los participantes movidos por la miseria del pueblo reconocerían de repente, que el objetivo de la revolución era la felicidad del pueblo —"le but de la Révolution est le bonheur du peuple"—, bastaría un Gobierno despótico suficientemente ilustrado para proporcionársela, sin necesidad de una república».[19] La felicidad no es una tarea de la política. Pertenece, como la miseria, al reino de la necesidad.

La interpretación de Arendt de la Revolución francesa es, en última instancia, apolítica. Desde el momento en que las masas desesperadas avanzan en multitud por las calles de París haciéndose visibles públicamente, están subiendo al escenario. El intento de liberarse de la invisibilidad a la que habían sido condenadas por las clases dominantes es auténticamente político. El carácter apolítico de la opinión de Arendt sobre la Revolución francesa hay que atribuirlo, paradójicamente, a su concepto de lo político. Ninguna masa, ningún pueblo sube al escenario de lo político, sino solamente un «alguien» que brilla en su particularidad y aspira a la gloria inmortal. El pueblo ha caído irremediablemente en la pura vida.

La idea de Arendt sobre la acción hace que la Revolución estadounidense se vea con una luz positiva. Los hombres de la Revolución estadounidense tuvieron la suerte, según Arendt, de no haber tenido que hacer frente a las dificultades de la libertad, o sea, de lo social. Su éxito se debió a la «invisibilidad de los esclavos»,[20] a la circunstancia de que estos permanecieron en dicha invisibilidad. Fue así como los *hommes de lettres* pudieron permanecer ellos mismos separados del resto y llevar a la práctica, sin verse alterados por la miseria de los negros, sus ideas de libertad. La liberación de los esclavos, para Arendt, no es, en cualquier caso, un acto político, puesto que estos (hoy algo así sonaría muy cínico) se hallaban «coartados no ya por la opresión política, sino por las meras necesidades de la vida».[21] Arendt oculta los logros de la Revolución francesa —como la abolición de la nobleza y la servidumbre—, que en realidad serían actos auténticamente políticos y que harían de la Revolución francesa algo más significativo que la estadounidense.

Las cuestiones sociales no pertenecen, para Arendt, a lo político, a esta venerable esfera de la libertad. Que los debates públicos desborden de ellas le parece a Arendt una «plaga».[22] Lo social solo tiene que ver con la pura vida, con la vida propia de la criatura. Lo político debe tomar distancia de todo ello. Arendt llama insistentemente la atención sobre el hecho de que «el pensamiento político de la Antigüedad, según el cual todo lo vinculado con la economía está atado a lo que se precisa para la pura vida y, por tanto, a la necesidad, no estaba tan errado, si quería decir con ello que lo económico —trátese del hogar familiar o del presupuesto estatal— [...] no debía tener ningún papel en la polis, que es el ámbito de lo político».[23]

El redentor rayo de luz de lo político fusiona lo social con lo económico. En la definición de Lenin de la Revolución de Octubre como «electrificación más sóviets», Arendt advierte «una separación completamente no marxista entre economía y política», «entre el progreso técnico como la solución de la cuestión social en Rusia y el sistema de los sóviets como la nueva forma del Estado». Le parece sorprendente oír de boca de un marxista «que la urgencia de la pobreza no haya de resolverse a través de la socialización de los medios de producción y el socialismo, sino mediante la industrialización».[24] La urgencia social y la pobreza son asuntos que corresponden a la técnica y no a la política. Arendt ignora el hecho de que fue el capitalismo industrial de los siglos XVIII y XIX el que aumentó de manera extrema la pobreza y la miseria en Europa; que la industrialización, abandonada a sí misma y apartada de todo control político, conduce al terror.

Arendt niega en repetidas ocasiones la relación entre pobreza y política. Le parece importante «no pasar por alto el hecho de que la pobreza no puede ser derrotada con medios políticos».[25] La pobreza sería de naturaleza meramente técnica. Para ella, nada es «más anticuado e improcedente que intentar liberar a la humanidad de la pobreza con medios políticos; y eso dejando completamente de lado el hecho de que nada podría ser más inútil y peligroso».[26] Existiría «hoy la muy justificada esperanza de que el desarrollo próximo a las ciencias naturales y a su tecnología facilitarán, en un futuro no muy lejano, el manejo de estas cuestiones económicas a partir de un fundamento técnico y científico natural, fuera del marco de las consideraciones políticas».[27] Todo intento de resolver la cuestión social con medios políticos acabaría en el «Terror».

Arendt habría tenido que desprenderse de aquella noble idea de lo político para reconocer que hay que atribuir la esclavitud, el hambre y la miseria, en primer lugar, a causas políticas y económicas; que las cuestiones sociales siempre son de naturaleza política; que las personas que hoy son explotadas o que mueren de hambre son víctimas de violencia estructural en un sistema dominado por el capitalismo global. Por ello Jean Ziegler escribe de manera lapidaria: «Cuando un niño muere de hambre es asesinado».[28] El hambre y la miseria reflejan relaciones de dominación globales que generan una violencia asesina. La utopía de Arendt de lo político está ciega ante las relaciones de poder y de dominación que atraviesan el espacio económico. El espacio político en cuanto «escenario» del «alguien» acaba siendo un constructo apolítico.

El reiterado intento de Arendt de impermeabilizar el espacio político contra el económico y el social se debe a su *mesianismo de la libertad*, a su *necesidad soteriológica* de erigir un espacio de libertad que vaya más allá de la urgencia y la necesidad de la pura vida. De continuo se evoca el «milagro» que «redimirá a la humanidad una y otra vez».[29] Arendt funda su esperanza mesiánica en el nacimiento de Jesús: «Que se pueda tener esperanza en el mundo y confiar en el mundo es algo que quizá no se haya manifestado en ningún lado de manera más concisa y bella que en las palabras con las que los oratorios de Navidad anuncian "la buena nueva": "Un niño nos ha nacido"».[30]

A la polis griega que Arendt idealiza como un ejemplo radiante de libertad le es ajeno el *páthos* de lo nuevo y del nuevo comienzo. Este brota, en verdad, del espíritu de la Modernidad. El énfasis en lo absolutamente nuevo, que se apodera en primer lugar de las ciencias de la Modernidad, también subyace en el espíritu de la Revolución francesa. La propia Arendt ubica el *páthos* de lo nuevo en la Modernidad: «Es como si el particular *páthos* de lo nuevo como nuevo hubiera tardado doscientos años antes de entrar, saliendo del aislamiento relativo de las especulaciones científicas y filosóficas, en el ámbito de lo político. [...] Solo durante el transcurso del siglo XVIII y de sus revoluciones surgió una conciencia de que lo absolutamente nuevo también podría darse en lo político; de que lo nuevo, por tanto, era algo que podría ponerse en manos del ser humano que actúa».[31]

Constituye un gesto de rebeldía contra el espíritu de la Modernidad el de Kierkegaard, que degrada lo nuevo en beneficio de la «repetición». Según Kierkegaard, «solamente se cansa uno de lo nuevo, pero no de las cosas antiguas». Las cosas antiguas son «el pan cotidiano que satisface con abundancia y bendición».[32] El pan diario carece de atractivo. Solo lo desprovisto de atractivo consiente la repetición. La repetición descubre una intensidad en lo desprovisto de atractivo. Solo lo *antiguo* es repetible.

El moderno *páthos* de lo nuevo desintegra al *ser* en el *proceso*. En las condiciones propias de lo nuevo ninguna vida contemplativa es posible. La contemplación es una repetición. El *páthos* de la acción, que ahora se vincula con el énfasis en lo nuevo, introduce mucha intranquilidad en el mundo. Arendt entiende la acción como un proceso abierto que no conoce ningún objetivo en el que pudiera llegar a estar en paz. La acción no se limita a llevar a cabo el proyecto que en un comienzo tenía planeado. Su realización depende, más bien, «de que la libertad sea continuamente confirmada; de que nuevos comienzos vuelvan a fluir, por así decir, hacia lo ya comenzado».[33] Si la acción deja de provocar nuevos comienzos en los procesos, los procesos puestos en marcha por la libertad se entumecen en un automatismo que «no es menos pernicioso» que el «automatismo de los procesos naturales».[34] Tan pronto como decae la fuerza del nuevo comienzo empieza la decadencia. En su mayor parte, la historia humana consiste, pues, en desarrollos automáticos que solo episódicamente son interrumpidos por la acción: «Sabemos que tales procesos de caída pueden durar muchos siglos, incluso que en términos meramente cuantitativos probablemente ocupen la mayor parte, de lejos, de la historia que nos fue transmitida».[35] Todas las épocas históricas que no son intervenidas por nuevos comienzos están entregadas a la decadencia. Para Arendt la historia transcurre sin ningún objetivo. Son solo los nuevos comienzos los que impiden que se petrifique y caiga en una rigidez mortal, en un peligroso automatismo.

Resulta discutible si la existencia continuada de la humanidad sobre la Tierra depende en efecto de que la libertad sea continuamente confirmada de nuevo; de que nuevos comienzos se introduzcan sin cesar en el mundo. El *páthos* de lo nuevo y del nuevo comienzo desarrolla rasgos destructivos, si no es inhibido por aquel *otro espíritu* que Nietzsche llamó «genio de la meditación». Precisamente Nietzsche, en cuanto pensador de la transvaloración de todos los valores, rechaza el énfasis ciego en lo nuevo. Es cierto que reconoce a los predicadores de lo nuevo, pero nunca pierde de vista la necesidad de la vida contemplativa. A los predicadores de lo nuevo, pues, les contrapone los grandes espíritus contemplativos, que llama «labradores del espíritu»: «Los espíritus más fuertes y los más malvados son los que hasta ahora más han hecho avanzar a la humanidad: siempre encendieron de nuevo las pasiones adormecidas —toda sociedad establecida adormece las pasiones—, despertaron una y otra vez el sentido de la comparación, de la contradicción, del placer por lo nuevo, arriesgado, por lo no experimentado; obligaron a los hombres a contraponer opinión contra opinión, modelo contra modelo. Con las armas, derribando los límites, la mayor parte de las veces ofendiendo a la piedad: pero ¡también mediante nuevas religiones y morales! En cada maestro y predicador de lo *nuevo* existe la misma "maldad" [...]. Pero bajo todas las circunstancias, lo nuevo es lo *malvado*, por cuanto lo que conquista quiere trastocar los antiguos límites y las antiguas piedades; ¡y solo lo antiguo es lo bueno! Los hombres buenos de todos los tiempos son aquellos que cavan en lo profundo los viejos pensamientos y que fructifican con ellos, los labradores del espíritu».[36] Entre los labradores del espíritu Nietzsche cuenta a aquellos «grandes moralistas» como Pascal, Epicteto, Séneca o Plutarco. El hecho de que nuestra era esté falta de tales labradores del espíritu se debe, para Nietzsche, a la pérdida de la vida contemplativa. Nietzsche atribuye la crisis de la Modernidad al hecho de que fuimos abandonados del todo por aquel *genio de la contemplación*; a que aquel «arado del hombre malvado», aunque pueda ser funcional y tener, sin duda, su sentido histórico, ha ahuyentado a todos los labradores del espíritu. Arendt, en cuanto predicadora de lo nuevo, lo absolutiza convirtiéndolo en el bien en general que ha de salvar de la ruina a la humanidad.

Arendt hace de la *propia sociedad* la antípoda de la libertad, puesto que es esta la que ejerce la pura vida. La sociedad es una mera expansión y extensión del *oîkos*, del hogar y la familia, que se proyecta sobre el espacio público. Arendt atribuye el conformismo inherente a la sociedad a la familia, en la cual, según ella, hay solo «un punto de vista». En la sociedad, lo «social», la pura vida, llega a ser lo dominante. La sociedad, «en todos sus estadios de desarrollo», elimina la acción, de la misma manera que antes lo hacía el *oîkos*. Dado que la sociedad expande el hogar privado hacia lo público, donde el proceso vital de la especie tiene prioridad, triunfa en ella la supervivencia del género humano y esta provoca la desaparición del «ser auténticamente humano de los seres humanos», es decir, la libertad de acción.

Según Arendt, la sociedad concluye en la sociedad de masas moderna: «La sociedad de masas encarna la victoria de la sociedad en general».[37] En la sociedad de masas moderna se produce un «dominio del nadie». Se suprime al «alguien» como sujeto de la acción. En muchos sentidos, el dominio del nadie se asemeja a aquella dictadura del «uno» al que también Heidegger designaba como «nadie». El dominio del «uno» heideggeriano suprime igualmente la *«posibilidad de actuar»*.[38] En la sociedad de masas entra, para reemplazar la acción, una «conducta» que «la sociedad espera de todos sus miembros, en formas diferentes en cada caso, y, para lograrla, prescribe innumerables reglas que apuntan, todas ellas, a normalizar socialmente a los individuos, a hacerlos aptos para la sociedad y a impedirles un actuar espontáneo y unos rendimientos excepcionales».[39]

El «hacer iguales» es el rasgo distintivo de la sociedad. Arendt opone la igualdad de derechos [*Egalität*] moderna, que se basa en el conformismo inherente a la sociedad, a la igualdad [*Gleichheit*] de la polis griega: «Pertenecer al número siempre pequeño de los "iguales" (*hómoioi*) significaba allí que uno podía pasar la vida entre personas de la misma clase, lo cual equivalía ya en sí mismo a un privilegio; pero la polis, por tanto, el propio espacio público, era el lugar de la más acalorada e implacable disputa, en la que cada cual debía destacarse sobre todos los demás permanentemente y tenía que demostrar —por medio de la excelencia en los hechos, los dichos y el rendimiento— que vivía como un "óptimo" (*aién aristeúein*). En otras palabras, el espacio público estaba reservado para lo no-promedio; en él, cada cual debía poder mostrar de qué manera sobresalía por encima del promedio».[40] En la sociedad de masas, el «uno» promedio asume el poder en calidad de Nadie. Aquí todo es nivelado a lo promedio. Arendt deja de lado el hecho de que también en la polis griega, que ya era una «sociedad», reinaba un conformismo. La condena de Sócrates es una prueba de ello.

La opinión de Arendt de que la sociedad es solo una ampliación de la casa y de la familia vuelve imposible un análisis social diferencial capaz de detectar distintos tipos de sociedades e investigar sus modos de funcionamiento. El «dominio del nadie» se basa, en realidad, en estructuras de poder. Toda sociedad —también la polis griega— es una estructura de dominación, un régimen que convierte a la persona en un *sujeto*, es decir, en alguien *sometido*. El propio cuerpo es el resultado de una acción del poder. En esta constatación se basa la noción de «biopoder» de Foucault. La bio*política* moldea cuerpos humanos y los administra. Produce cuerpos dóciles en el régimen disciplinario que subyace en el capitalismo industrial. Una coacción esmeradamente calculada recorre todas las partes del cuerpo y hace «de una pasta informe, de un cuerpo inepto», una «máquina».[41] El cuerpo dócil del régimen disciplinario no es idéntico al cuerpo que optimizamos hoy con las aplicaciones para estar en forma.

La teoría de la sociedad de Arendt no puede analizar los mecanismos del poder que transforman cada sociedad en un régimen. No puede comprender el tránsito del régimen disciplinario al régimen neoliberal ni el desarrollo del capitalismo industrial hacia el capitalismo de vigilancia. Cuando Arendt eleva lo político al rango de variable exclusiva y lo desvincula de lo social se cierra a aquellos procesos políticos, vinculados con el poder económico, que hacen un régimen de una sociedad.

No es solo la acción política la que introduce algo nuevo en el mundo y da vida a un nuevo ordenamiento de las cosas, puesto que *todo medio es una revolución*. Cada nuevo medio trae como consecuencia un nuevo régimen, al establecer nuevas estructuras de poder. Con la industrialización comienza el régimen disciplinario. La propia dominación adopta una forma maquinal. El poder disciplinario introduce a las personas en el engranaje de la máquina panóptica. La digitalización produce el régimen de la información cuya *psicopolítica* vigila y controla la acción por medio de algoritmos e inteligencia artificial.

La idea de Arendt de la sociedad de masas no permite comprender las evoluciones sociales actuales. Hoy la masa está perdiendo su significación. No es casual que se esté hablando de la «sociedad de las singularidades». Lo que se evoca hoy es la creatividad y la autenticidad. Todo el mundo se considera único. Todo el mundo tiene su propia historia que contar. Todo el mundo se performa. La *vita activa* se está manifestando ahora como *vita performativa*. Y también el énfasis en lo nuevo se está reavivando. Lo nuevo debe facilitar una vida intensa. De lo antiguo se desconfía. También las así llamadas *startups* evocan la creatividad y la innovación y prometen lo nuevo. El énfasis de Arendt en lo nuevo y el nuevo comienzo, visto así, está en consonancia con el espíritu epocal de hoy.

La sociedad de masas de Arendt totaliza lo promedio y oprime lo individual y lo extraordinario dificultando la acción y el habla. No consiente ningún «rendimiento excepcional», puesto que «no le da lugar». Y, de ese modo, se hace desaparecer aquel «espacio mundano» «en el que las personas pueden sobresalir y lo excelente puede encontrar el sitio que le corresponde». Esa sociedad de masas que Arendt entiende como una forma perfecta de la sociedad se opone diametralmente a la sociedad actual. Hace tiempo que abandonamos la sociedad de masas industrial. En el régimen neoliberal, esa sociedad de masas se transforma en una *sociedad del rendimiento*. Ahora competimos por incrementar los rendimientos. El régimen neoliberal no es represivo. En cambio, la dominación adopta una forma inteligente y se expresa como una permanente exhortación a rendir más. Esta coacción sutil hacia el rendimiento es interpretada, desafortunadamente, como un aumento de la libertad. Hoy nos explotamos por propia voluntad y con la creencia de que *nos estamos realizando*. Nos entregamos al culto del yo, a la misa del yo, en la que todo el mundo es sacerdote de sí mismo. La presión de autenticidad le es ajena a la sociedad de masas. A diferencia de lo que ocurre en la sociedad de masas dominada por los medios de comunicación de masas, en la era de los medios digitales no se da al traste con la capacidad de hablar. Muy al contrario. Todo el mundo es hoy productor y emisor. Todo el mundo se produce. Estamos aturdidos por el ruido de fondo de la comunicación.

Arendt cree que la singularidad del ser humano se revela en la acción. En contraposición a las propiedades o capacidades que posee y tiene bajo control, el «quién-es-una-persona-en-cada-caso individual» está oculto para el propio actuante, porque se revela solo «de manera involuntaria» en la acción. De ahí que solo el entorno sepa quién es realmente la persona que actúa: «Es [...] muy probable que este "quién" que se genera de un modo tan inequívoco y patente para el entorno permanezca oculto ahora y siempre para la propia persona que lo exhibe, como si fuera aquel *daímon* de los griegos que acompañaba a la persona a lo largo de su vida, pero que siempre estaba mirándola por encima del hombro desde atrás y que, por ello, solo resultaba visible para aquellos con quienes se encontraba el ser humano en cuestión y nunca para él mismo».[42] En contra de la suposición de Arendt, el *daímon* de los griegos no podía ser experimentado por el entorno de quien lo poseía. Cada cierto tiempo se dejaba ver, pero dirigiéndose exclusivamente a la persona en cuestión. El entorno, sin embargo, no estaba al tanto de nada de ello. En la *Apología* de Platón, Sócrates cuenta que cuando el *daímon* toma la palabra es para impedirle hacer lo que tiene pensado: «Quizá pueda parecer extraño que yo privadamente, yendo de una a otra parte, dé estos consejos y me meta en muchas cosas, y no me atreva en público a subir a la tribuna del pueblo y dar consejos a la ciudad. La causa de esto es lo que vosotros me habéis oído decir muchas veces, en muchos lugares, a saber, que hay junto a mí algo divino y demónico [...]. Está conmigo desde niño, toma forma de voz y, cuando se manifiesta, siempre me disuade de lo que voy a hacer, jamás me incita. Es esto lo que se opone a que yo ejerza la política».[43] La voz misteriosa del *daímon* dice: «¡alto!». Aparta a Sócrates de la acción. Es, claramente, un *genio de la inactividad*.

El *daímon* griego se corresponde con el *genius* romano que está presente, en calidad de dios protector, en cada nacimiento: «Se llama mi Genius, porque me ha engendrado (*Genius meus nominatur, quia me genuit*)».[44] El genio nos acompaña desde el nacimiento hasta la muerte. Es lo más cercano a nosotros, pero al mismo tiempo es lo más impersonal que hay en nosotros, «la personalización de lo que, en nosotros, nos supera y excede».[45] A él le debemos la comprensión de que «el hombre no es solamente Yo y conciencia individual». «La pretensión del Yo de bastarse a sí mismo» se estrella contra el genio. Ante su presencia no es posible «cerrarnos en una identidad sustancial».[46]

Los atributos que nos convierten en un *alguien* no son *geniales*, es decir, no son propios del genio. Nos encontramos con el genio cuando nos quitamos los atributos, la máscara que llevamos puesta cuando estamos en el escenario de la acción. El genio revela, detrás de la máscara, una cara desprovista de atributos. Este *rostro sin atributos* se contrapone a aquel «quién-es-una-persona-en-cada-caso individual» que Arendt vincula con la acción. El hombre está *sin atributos* solo cuando se encuentra fuera del escenario de la acción. En el resplandor de la inactividad somos un *nadie* en un sentido particular. La inactividad va acompañada del olvido de sí mismo.

Vivir con el genio significa mantener una relación con una región del no-saber, de la no-conciencia. Sin embargo, el genio no traslada la experiencia hacia lo oscuro, hacia lo inconsciente, donde «sedimenta como un pasado inquietante».[47] El trato con el genio es, más bien, una *mística clara* en la que el yo asiste pacíficamente a su propia disolución. Poseídos por el genio, es decir, *inspirados*, dejamos de ser un *alguien* y nos encerramos en el yo. En el estado de entusiasmo nos desprendemos de nosotros mismos. Lo *genial* es un *estar-junto-a-uno-mismo*. Esto es también una *fórmula de la felicidad*.

El hecho de nacer, que nos obliga a la acción, es *sin felicidad*. Quien solamente actúa está abandonado por el *genio* que genera entusiasmo y hace feliz. La felicidad se debe a la inactividad. No resulta infundado que Arendt mire con tanto desprecio la felicidad humana: «Pues en lo referido a la así llamada felicidad no deberíamos olvidar que solo el *animal laborans* tiene la particularidad de exigirla; ni al trabajador que produce ni a la persona política que actúa se les ocurrió jamás querer ser felices o creer que las personas mortales pueden ser felices».[48]

El «haber nacido», en cuanto obligación a la acción, *nos enreda en el tiempo*. Solo la inactividad nos libera o, es más, nos redime del tiempo. El genio encarna una forma de vida completamente diferente: «El rostro de jovencito que tiene Genius, sus largas, trépidas alas significan que no conoce el tiempo».[49] Cuando celebramos el cumpleaños lo que hacemos no es constatar el hecho de que somos un ser actuante. Más bien estamos celebrando, en el cumpleaños, la epifanía del genio que nos eleva sobre el tiempo. En la fiesta de cumpleaños no conmemoramos un día pasado. Más bien, «como toda fiesta verdadera, es abolición del tiempo».[50] La intemporalidad es la esencia de la fiesta. El tiempo-de-fiesta es un tiempo detenido. Así *transitamos* [*begehen*] por la fiesta. Solo se puede transitar algo que *está detenido* y no *pasa* [*vergeht*]. Transitamos por la fiesta como por un magnífico edificio. Quien actúa tiene objetivos en mente. *Ir hacia algún lado* y *aspirar a algo* son su modo de andar. Quien solo actúa no está capacitado para el transitar festivo que detiene el tiempo. El transitar, por lo demás, está libre de toda meta. Por ello se diferencia de la acción, unida necesariamente a una meta.

La fiesta no forma parte del vocabulario filosófico de Arendt. En ningún lado se habla de ella. El *páthos* de la acción de Arendt arrebata a la vida toda festividad. La fiesta es la expresión de una vida desbordante, de una forma intensa de la vida. En la fiesta la vida se vuelve sobre sí misma, en lugar de perseguir objetivos externos a ella. La fiesta anula la acción. Así, en el *sabbat* están prohibidas todas las actividades orientadas a un fin. La vida, que, libre de metas, se agita en sí misma, encarna el reposo festivo. No es la determinación a la acción, sino el alborozo de la fiesta lo que nos eleva por encima de la pura vida. La fiesta sucede fuera del *oikos*. Lo económico se suspende. Los comportamientos como el despilfarro y el desenfreno, que se pueden observar a menudo en las fiestas arcaicas, dan testimonio del carácter antieconómico de la fiesta. En el tiempo de la fiesta, la vida ya no es supervivencia. La fiesta confiere a la vida más esplendor que la acción. El pensamiento de Arendt se cierra por completo a estas formas del esplendor de la existencia humana.

La condición humana (*Vita activa*), de Arendt, comienza con una diferenciación entre inmortalidad y eternidad. La inmortalidad es un continuar y durar dentro del tiempo que es propio de los dioses, que no mueren ni envejecen, y del cosmos imperecedero. Rodeado de lo infinito, el ser humano, en cuanto ser mortal, se procura la inmortalidad creando obras duraderas. La aspiración a la inmortalidad, a la gloria inmortal, es, según Arendt, «la fuente y el centro de la *vita activa*».[51] El ser humano consigue su inmortalidad en el escenario de lo político. El objetivo de la vida contemplativa, por el contrario, no es, según Arendt, el continuar y durar en el tiempo, sino la experiencia de lo eterno, la cual trasciende tanto el tiempo como el mundo circundante de quien la tiene. Sucede fuera de los asuntos humanos y, por tanto, fuera de lo político. Sin embargo, continúa Arendt, ningún ser humano puede permanecer en la experiencia de lo eterno. Debe retornar a su mundo circundante. Pero tan pronto como un pensador abandona la experiencia de lo eterno y comienza a escribir, se encamina a la vida activa, cuyo fin último es la inmortalidad. Así llega Arendt a la siguiente y muy llamativa tesis: «Como resulta evidente que, por mucho que lo eterno pueda estar en el centro de un pensamiento, el propio pensador deja este interés en la estacada en el momento en que se sienta a pasar por escrito sus pensamientos; mientras dura el escribir, su principal interés ya no es lo eterno, sino el cuidado de dejar rastros de lo que ha pensado para la posteridad. A su manera, accedió a la *vita activa*, se volvió "activo" y, al hacerlo, se comprometió con las reglas y los modos que están vigentes en la *vita activa*, los cuales pueden conducir a la duración y, probablemente, a la inmortalidad, pero no a la eternidad».[52] De ahí que Arendt se asombre ante un Sócrates que no escribe y renuncia de forma voluntaria a la inmortalidad. Por lo visto, la propia Arendt tuvo sus pensamientos y los pasó por escrito con la intención de ser inmortal. El carácter demasiado estrecho de su concepto de vida contemplativa le impide describirla en toda su complejidad y diversidad. Incluso la escritura puede ser una contemplación que no tenga nada que ver con la aspiración a la inmortalidad.

Arendt define la vida contemplativa como una huida del mundo. E intenta demostrar su tesis relatando de manera distorsionada la alegoría de la caverna de Platón: «La experiencia filosófica de lo eterno [...] solo puede llevarse a cabo por fuera del ámbito de los asuntos humanos [...]. De estas condiciones trata la alegoría de la caverna en la *República*, de Platón, que nos cuenta cómo el filósofo debe liberarse de las cadenas que lo atan a sus compañeros y abandonar después la caverna en un aislamiento absoluto, sin ser acompañado ni seguido por sus compañeros. [...] Ninguna criatura viviente [puede] resistir la experiencia de lo eterno en el tiempo [...]; la propia vida obliga a los seres humanos a volver a la caverna, en donde vuelven a vivir, es decir, a "estar entre personas"».[53]

La alegoría de la caverna de Platón narra, en realidad, una historia completamente distinta. Habla de un filósofo que se libera de las cadenas que los atan, a él y a quienes están presos junto a él, obligándolos a ver las sombras ilusorias que ellos creen que son la única realidad. Él abandona la caverna en busca de la verdad. Platón hace que Glaucón se pregunte: ¿qué sucedería si el filósofo, después de llegar a divisar la verdad fuera de la caverna, retornara a la caverna e intentara liberar a los prisioneros de sus engaños? Su acción, que se efectúa como un *decir la verdad* (*parrhesía*), lo expondría al peligro de ser asesinado por los prisioneros. Así, la alegoría de la caverna termina con esta frase: «—[...] al que intenta liberarlos [a los prisioneros] y conducirlos hacia arriba, si de algún modo pudieran atraparlo entre sus manos y matarlo, ¿lo matarían? —Sin duda».[54] Platón contrapone al régimen mítico, encarnado por la caverna con sus sombras, un régimen de la verdad. El filósofo *actúa* cuando, a pesar del peligro mortal, regresa a la caverna para persuadir a los seres humanos de la verdad. Pero la acción presupone el conocimiento de la verdad. Inmediatamente después de la narración de la alegoría de la caverna Platón añade que «quien pretenda actuar con sensatez tanto en privado como en público» debería en primer lugar «ver la verdad». El filósofo griego enseña, pues, que la acción presupone la contemplación como un camino hacia el conocimiento. La vida activa sin la vida contemplativa es ciega.

Hacia el final de *La condición humana* Arendt afirma que la absolutización del trabajo, la victoria del *animal laborans* en la Modernidad, está arruinando todas las restantes capacidades humanas, en particular la de la acción. Después pasa, de forma inesperada, a hablar del pensamiento, al cual no había prestado ninguna atención a lo largo de *La condición humana*. Según ella, el pensamiento es aún lo menos perjudicado por la evolución moderna, por la victoria del *animal laborans*. El futuro del mundo no dependería del pensamiento, sino del poder de las personas que actúan, pero el pensamiento no sería irrelevante para el futuro humano, puesto que, si considerásemos las distintas actividades de la vida activa y nos preguntásemos cuáles de ellas son las más activas y en cuáles se manifiesta la experiencia del estar activo del modo más puro, el resultado sería que es el pensamiento el que sobrepasa a todas las demás actividades en cuanto al puro estar activo. En las últimas páginas de *La condición humana*, Arendt hace justamente del pensamiento la más activa de todas las actividades humanas.

La autora cree poder confirmar su suposición con una sentencia de Catón: «Quienes estén familiarizados con la experiencia del pensamiento difícilmente puedan evitar estar de acuerdo con la sentencia de Catón:

numquam se plus agere quam nihil cum ageret, numquam minus solum esse quam cum solus esset: nunca se está más activo que cuando, a juzgar por la apariencia externa, no se está haciendo nada; nunca se está menos solo que cuando se está solo con uno mismo en la soledad».[55] Es justo a esta sentencia de Catón a la que se refiere Cicerón en *De re publica* antes de iniciar, inmediatamente después, la alabanza de la vida contemplativa. Cicerón exhorta a los lectores a dedicarse a la vida contemplativa alejados del tumulto de la multitud. Para Cicerón, el pensamiento pertenece a la vida contemplativa. De este modo, Arendt cierra su libro *La condición humana* (*Vita activa*), involuntariamente, con una alabanza de la vida contemplativa.

La existencia humana se realiza solamente en la *vita composita*, es decir, en la colaboración entre la *vita activa* y la *vita contemplativa*. San Gregorio enseña, así, que «cuando un buen programa de vida exige que uno pase de la vida activa a la contemplativa, es útil, a menudo, que el alma retorne de la vida contemplativa a la activa, de modo tal que la llama de la contemplación, encendida en el corazón, le otorgue toda su perfección a la actividad. De este modo, la vida activa debe conducirnos a la contemplación, pero la contemplación [...] debe llamarnos de vuelta a la actividad».[56]

A Arendt le estuvo vedada hasta el final la constatación de que es la pérdida de la capacidad contemplativa la que conduce al triunfo, criticado por ella misma, del *animal laborans*, el cual somete todas las actividades humanas al trabajo. En contra de la convicción de

Arendt, el futuro de la humanidad no depende del poder de las personas que actúan, sino de la reactivación de la capacidad contemplativa, es decir, de la capacidad que *no actúa*. La vida activa degenera en hiperactividad y no solo termina en un *burnout* de la psique, sino también del planeta entero, si este no acoge en sí a la vida contemplativa.

LA SOCIEDAD QUE VENDRÁ

A Novalis en el 250 aniversario de su nacimiento

Cada objeto amado es el centro de un paraíso.

¿No se convierte la roca, cuando le hablo, en un «tú» verdadero?

NOVALIS

La crisis actual de la religión no puede atribuirse simplemente al hecho de que hayamos perdido toda fe en Dios o a que nos hayamos vuelto desconfiados con respecto a determinados dogmas. En un plano más profundo, esta crisis apunta a que estamos perdiendo cada vez más la capacidad contemplativa. La creciente obligación de producir y comunicar dificulta la pausa contemplativa. La religión presupone una atención particular. Malebranche describe la atención como la plegaria natural del alma. Hoy el alma ya no *ora* más. Hoy el alma *se produce*. Debido a su *hiperactividad* se le puede atribuir la responsabilidad por la pérdida de la experiencia religiosa. La crisis de la religión es una crisis de la atención.

La vida activa, con su *páthos* de la acción, impide el acceso a la religión. La acción no forma parte de la experiencia religiosa. En *Sobre la religión*, Schleiermacher eleva la intuición contemplativa a esencia de la religión y la contrapone a la acción: «Su esencia no es pensamiento ni acción, sino intuición y sentimiento. Ella quiere intuir el Universo, quiere espiarlo piadosamente [...], quiere ser impresionada y plenificada, en pasividad infantil, por sus influjos inmediatos».[1] El intuir en una pasividad infantil es una forma de la inactividad. La religión disuelve, según Schleiermacher, «toda actividad en una intuición asombrada de lo Infinito».[2] Quien actúa tiene en mente un objetivo y pierde de vista el todo. Y el pensamiento dirige su atención a un objeto en particular. Solamente la intuición y el sentimiento tienen acceso al universo, es decir, al ser en el todo.

El ateísmo no excluye a la religión. Para Schleiermacher la religión es absolutamente pensable también sin Dios: «Tener religión significa intuir el Universo [...]. Ahora bien, si no podéis negar que la idea de Dios es compatible con cualquier intuición del Universo, debéis conceder también que una religión sin Dios puede ser mejor que otra con Dios».[3] Lo esencial para la religión no es Dios, sino el deseo de lo infinito que se cumple en la intuición del universo.

El verbo para la religión es «escuchar», mientras que «actuar» es el verbo para la historia. En la escucha, en cuanto inactividad, enmudece el yo, que es el sitio para las diferenciaciones y las demarcaciones de límites. El yo que escucha *se* sumerge en el todo, en lo ilimitado, en lo infinito. Unas líneas hermosas del *Hiperión*, de Hölderlin, expresan poéticamente aquello a lo que Schleiermacher hace referencia al hablar de la religión como una intuición del universo: «Todo mi ser calla y escucha cuando las dulces ondas del aire juegan en torno de mi pecho. Perdido en el inmenso azul, levanto a menudo los ojos al Éter y los inclino hacia el sagrado mar [...]. Ser uno con todo, esa es la vida de la divinidad, ese es el cielo del hombre. Ser uno con todo lo viviente, volver, en un feliz olvido de sí mismo, al todo de la naturaleza, esta es la cima de los pensamientos y alegrías, esta es la sagrada cumbre de la montaña, el lugar del reposo eterno».[4]

Quien se entrega a la escucha *se* pierde en el «todo de la naturaleza», en el «inmenso azul», en el «éter», en el «sagrado mar». En cambio, quien *se* produce, quien *se* exhibe, es incapaz de escuchar, de contemplar en una pasividad infantil. En la era de las permanentes autoproducción y autoescenificación narcisistas, la religión pierde su fundamento, puesto que el desprenderse de uno mismo es un acto constitutivo de la experiencia religiosa. La autoproducción es más dañina que el ateísmo para la religión. Quien *se* da muerte goza de un infinito. Así, Schleiermacher escribe: «Intentad, pues, renunciar a vuestra vida por amor al Universo. Aspirad a destruir ya aquí vuestra individualidad y a vivir en el Uno y Todo, aspirad a ser más que vosotros mismos [...]. En medio de la finitud, hacerse uno con lo Infinito y ser eterno en un instante: tal es la inmortalidad de la religión».[5]

El romanticismo rodea a la naturaleza de un esplendor divino. En su ser numinoso la naturaleza se eleva por encima de toda aprehensión humana. Violentamos la naturaleza ya desde el momento en que la consideramos un medio para una meta humana, un recurso. La comprensión romántica de la naturaleza tiene el potencial de hacernos revisar nuestro vínculo instrumental con ella, que conduce inexorablemente a las catástrofes. El romanticismo aspira a una reconciliación entre el ser humano y la naturaleza. En un prólogo a su *Hiperión*, Hölderlin escribe: «Acabar aquel eterno combate entre *nosotros mismos* y el mundo, devolver la paz de toda paz que a toda razón supera, unirnos con la naturaleza en *un* todo infinito, tal es el objetivo de toda aspiración nuestra».[6] Hölderlin llama «ser» a esa unificación con la naturaleza: «No tendríamos ninguna idea de aquella paz infinita, de aquel Ser, en el único sentido de la palabra, no aspiraríamos a unir la naturaleza con nosotros».[7]

A diferencia del «ser», la acción no ve «en todo el Universo más que al hombre como punto central de todas las relaciones, como condición de todo ser y causa de todo devenir».[8] La acción nunca llega hasta el «ser», «en el que todo conflicto cesa, en el que *Todo es Uno*».[9] La acción trae consigo una falta de ser. Hölderlin responsabiliza al sí-mismo, al sujeto de la acción, por el conflicto permanente, por la pérdida del «ser»: «La venturosa concordia, el Ser, en el único sentido de la palabra, está perdido para nosotros [...]. Nos separamos del *Uno y Todo* del mundo para producirlo por *nosotros mismos*. Estamos enemistados con la naturaleza, y aquello que antaño, como puede creerse, era *uno*, pugna ahora».[10] El «ser» en cuanto *belleza* se debe a la *synagogé*, a la «reunión en lo Uno».[11] Al mundo le falta la belleza mientras está ausente la reconciliación, la paz infinita. Hölderlin siente anhelo por aquel «reino» «donde la belleza será la reina».[12]

En el romanticismo, la libertad se desvincula del sí-mismo. La libertad no se expresa como énfasis en la acción, sino como pasividad de la intuición. La acción cede el paso a la escucha: «Solo la tendencia a intuir, cuando va dirigida a lo Infinito, pone al ánimo en un estado de libertad ilimitada».[13] Ser libre significa reunirse con la infinitud de la naturaleza y vivir con las cosas de la naturaleza como entre hermanos: «"¡Oh sol, oh vientos!", exclamaba entonces, "¡solo entre vosotros vive todavía mi corazón como entre hermanos!". Así me entregaba cada vez más a la cordial naturaleza, incluso de una forma excesiva. Pero ¡me hubiera gustado tanto transformarme en niño para estar más cerca de ella, me hubiera gustado tanto saber menos y convertirme en un puro rayo de luz para estar más cerca de ella!».[14]

Debe calificarse de «religioso» el instante en que la libertad se torna naturaleza: «La religión respira allí donde la libertad misma ya se ha convertido de nuevo en naturaleza».[15] La naturaleza le abre los ojos al sujeto que se cree libre y soberano y lo capacita para la *contemplación*. Lo auténticamente romántico es el instante en que el sujeto, frente a la naturaleza, renuncia a su soberanía y rompe a llorar. La naturaleza le permite percatarse de su naturalidad: «Al contrario de lo que Kant quería, el espíritu percibe ante la naturaleza menos su propia superioridad que su propia naturalidad. Este instante mueve al sujeto a llorar ante lo sublime. El recuerdo de la naturaleza disuelve la terquedad de su autoposición: "¡La lágrima brota, la tierra vuelve a tenerme!". El yo sale así espiritualmente de la prisión en sí mismo».[16] Las lágrimas rompen «el hechizo que el sujeto lanza a la naturaleza».[17] Deshecho en lágrimas, el sujeto se entrega a la veneración de la tierra.

Lo bello natural, en el sentido romántico, no es algo que al sujeto le guste de manera inmediata. El placer [*Wohlgefallen*] no es más que el gusto [*Gefallen*] del sujeto por sí mismo. Lo bello natural solo se puede experimentar por medio del dolor, puesto que sacude al sujeto que se pone como absoluto y lo arranca de su autocomplacencia [*Selbstgefälligkeit*]. El dolor es la *fisura en el sujeto*, por la cual se anuncia lo *otro del sujeto*: «El dolor a la vista de lo bello, que nunca es más directo que en la experiencia de la naturaleza, es tanto el anhelo por lo que lo bello promete [(sin descubrirse) como el sufrimiento por la insuficiencia del fenómeno, que fracasa al intentar hacerse igual a lo bello]».[18] Lo bello natural tiene un potencial utópico en la medida en que apunta a otro estado del ser en el que el ser humano se reconcilia con la naturaleza.

La idea de libertad de los inicios del romanticismo se presenta como un correctivo o incluso como un antídoto contra la libertad individual actual. Esta libertad romántica no se basa en el querer-*se* o en la voluntad de *sí*, sino en el *ser-con* o el *querer-con*: «El querer-con es [...] el abrir-se a y el dejar-se-caer en el ser. El querer-con es un deber, pero un deber que [...] proviene de la *abierta pertenencia al ser* y que regresa *hacia ella*. Esta pertenencia, sin embargo, es la esencia más íntima de la libertad».[19] La libertad en cuanto pertenencia hace justicia a la noción originaria de libertad. Etimológicamente, la palabra «libre» [*frei*] significa *estar entre amigos* [*unter Freunden sein*]. Tanto «libertad» [*Freiheit*] como «amigo» [*Freund*] se remontan a la raíz indoeuropea *fri* que significa *amar*. *La libertad es amabilidad* [*Freiheit ist Freundlichkeit*]. De ahí que Hölderlin eleve la amabilidad, que suprime toda separación y todo aislamiento, al rango de principio divino: «Mientras la amabilidad, la pura, / se conserve aún en el corazón / no se medirá, infeliz, el hombre / con la divinidad».[20]

Para Novalis, la naturaleza no es un *ello* sin vida, sino un *tú* viviente. Solo se llega a ella por medio de *invocaciones*. Para salvarla hace falta sustraerla de su existencia de *ello* —que la deja a merced de una explotación despiadada— y pasar a dirigirse a ella como a un *tú*. Cada cosa se vuelve un *tú* cuando la *invocamos*. Los primeros románticos consideran que la naturaleza siente, piensa y habla. Para Schelling, la naturaleza es el espíritu visible. El espíritu humano es la naturaleza invisible. Su lenguaje, sin embargo, se compone de jeroglíficos que permanecen incomprensibles para las personas que se alejaron de ella. Pero a quien se acerca a ella con amor y fantasía, a él sí le revela sus misterios.

La concepción romántica de la naturaleza, que percibe incluso las cosas inanimadas como animadas, proporciona un eficaz correctivo contra nuestra comprensión instrumental de la naturaleza. Impide que se la vea como un recurso y que se la someta por completo a las metas humanas. Según Novalis, existe una profunda simpatía entre el ser humano y la naturaleza. La mirada que ve con más profundidad advierte diversas correspondencias entre el humano y la naturaleza. Ni siquiera el pensamiento se distingue de un modo fundamental de la naturaleza. Novalis se basa en una analogía entre el juego de la reflexión y el de la naturaleza. También el cuerpo humano es un microcosmos que se refleja en la naturaleza como macrocosmos. Entre el ser humano y la naturaleza existe una misteriosa analogía.

A los primeros románticos la naturaleza se les presenta como un juego. La naturaleza está libre de meta y de utilidad. Su rasgo esencial es la inactividad. La naturaleza es «como un niño que juega consigo mismo y no piensa en nada más [...] sin esfuerzo, con tanta paz del alma».[21] El auténtico lenguaje, de hecho, tampoco es un medio para un fin, no es un medio de comunicación. Este lenguaje se denota a sí mismo y juega consigo mismo. Habla por hablar. En la poesía se libera de toda utilidad. No *trabaja*. Para Novalis, solo despliega su esplendor fuera del sentido y la comprensión: «No se lograba comprender la palabra, porque la palabra no se comprendía, no quería comprenderse ella misma. El Sánscrito verdadero hablaba por el placer de hablar y porque la palabra era su esencia y su alegría. [...] La Sagrada Escritura no necesita explicación. El que enuncia la Verdad tiene plenitud de vida eterna, y todo lo que ha escrito nos parece prodigiosamente unido a misterios auténticos, pues es un acorde de la sinfonía del Universo».[22]

Los románticos no proyectan simplemente sus sentimientos, deseos y anhelos subjetivos sobre la naturaleza, que en sí misma no tiene vida ni alma. La naturaleza no es humanizada ni subjetivizada. Más bien se trata de que ella misma posee una interioridad, un «ánimo». Solo los poetas advierten la inagotable riqueza de su interioridad poética. Para Novalis, la naturaleza sobrepasa al ser humano en cuanto a fantasía. Es más ocurrente e ingeniosa que el humano: «Solamente los poetas han comprendido lo que la Naturaleza puede significar para el hombre [...]. La Naturaleza les ofrece la variabilidad de su carácter infinito; y, más que el hombre ingenioso en grado sumo y pletórico de vida, sorprende por sus hallazgos y sus rodeos profundos, por sus encuentros y desviaciones, por sus grandes ideas y sus rarezas».[23] La naturaleza es «el único poema de la divinidad, del que somos parte y fruto: la tierra». Novalis percibe a la naturaleza como una artista. La naturaleza tiene un «instinto artístico». Novalis está convencido de que pretender distinguir naturaleza y arte es un error, «charlatanería».[24]

El romanticismo alemán es más que «el recogimiento y la magia del bosque, la acequia susurrante del molino», «la llamada del sereno y las fuentes que murmuran, un palacio en ruinas con un jardín abandonado en el que estatuas de mármol se van corroyendo y desmoronando» o una vuelta a «las antiguas costumbres autóctonas» o incluso al «fuerte sentimiento nacional», a la «nueva y más potente alemanidad».[25] El primer romanticismo es una idea estético-política cargada de rasgos universales. Novalis representa un universalismo radical que lucha por una «familia mundial» más allá de la nación y la identidad. Está animado por el anhelo de reconciliación y armonía, por la idea de la eterna paz.

Desde el punto de vista de Novalis, nada en el mundo está aislado de todo lo demás. Cada cosa fluye y se desliza hacia las otras. Todo está entrecruzado con lo otro. Novalis hace de la poesía un medio para la unificación, la reconciliación y el amor. La poesía libera una *intensidad* que arranca las cosas de su aislamiento y las reúne en una hermosa comunidad: «Por medio de una relación original con el conjunto restante realza la poesía todo elemento particular [...], la poesía forma la sociedad bella —la familia cósmica— la bella economía doméstica del universo. [...] El individuo vive en el conjunto y el conjunto en el individuo. Por medio de la poesía surgen la mayor simpatía y la coactividad más intensa, la *comunidad* íntima».[26] A lo que se aspira es a una *comunidad de los seres vivos*. El individuo es un «órgano del conjunto». El conjunto es un «órgano del individuo». El individuo y el conjunto se atraviesan mutuamente. Novalis está convencido de que el apartamiento y el aislamiento acaban por enfermar a las personas. La poesía es un arte sanador, un gran «arte de construir la salud trascendental». Novalis eleva al poeta, pues, al rango de «médico trascendental».[27]

La romantización del mundo le devuelve a este su encanto, su magia, su misterio y hasta su dignidad. Produce *intensidades*: «El mundo ha de ser romantizado. Así se reencuentra el sentido original. [...] En cuanto doy un sentido elevado a lo vulgar, un porte misterioso a lo habitual, la dignidad de lo desconocido a lo conocido, una apariencia infinita a lo finito, lo romantizo».[28] La romantización desvela el ánimo, el *adentro* misterioso *del mundo exterior*, del cual, sin embargo, estamos distanciados. Así, Novalis anuncia: «Tú despertaste en mí el noble anhelo / de contemplar el corazón del mundo».[29] La romantización del mundo actúa como un encantamiento. Como un antídoto contra la profanación del mundo, lo convierte en una *novela*, diría Novalis, en un *cuento maravilloso*. La informatización y la digitalización actuales del mundo están llevando la profanación a su cima. Todo se está volviendo algo en forma de datos y algo cuantificable. Las informaciones no son narrativas, sino aditivas. No se condensan formando una narración, una novela. La técnica digital se basa en un recuento binario. En francés, «digital» se dice *numérique*, o sea, «numérico». El contar [*Zählen*] se opone diametralmente al narrar [*Erzählen*]. *Los números no narran nada.* Son los habitantes del *grado cero del sentido*.

Es un error rechazar el anhelo romántico de una conexión con el todo, con la naturaleza, con el universo, calificándolo de éxtasis soñador o de algo anacrónico o regresivo. Según Walter Benjamin este anhelo es algo fundamental para la humanidad. Siempre vuelve a brotar: «La relación del mundo antiguo con el cosmos se desarrollaba en otro plano: el de la embriaguez [...]. Pero esto significa que, desde la embriaguez, el hombre solo puede comunicar con el cosmos en comunidad. La temible aberración de los modernos consiste en considerar irrelevante y conjurable esta experiencia, y dejarla en manos del individuo para que delire y se extasíe al contemplar hermosas noches consteladas. Pero lo cierto es que se impone cada vez de nuevo».[30]

Novalis representa un mesianismo romántico. Por todas partes percibe señales de una «época sagrada de la paz perpetua», de una «gran reconciliación», de una «nueva edad dorada», de una «época profética, milagrosa y salvadora, un tiempo de consuelo, de vida eterna».[31] Es cierto que todo ello solo es un «presagio tosco e inconexo», pero uno que revela, en su totalidad, «la íntima concepción de un nuevo mesías».[32] Este presagio anuncia una nueva época, un nuevo modo de ver, una forma de vida completamente diferente.

En *La comunidad que viene*, Agamben se refiere a una parábola del reino venidero del mesías que Walter Benjamin le habría narrado una noche a Ernst Bloch. Bloch la relata así: «Un rabino, un verdadero cabalista, dijo una vez: para instaurar el reino de la paz no es necesario destruir todo y dar inicio a un mundo completamente nuevo; basta empujar solo un poquito esta taza o este arbusto o aquella piedra, y así con todas las cosas. Pero este poquito es tan difícil de realizar y su medida tan difícil de encontrar que, por lo que respecta al mundo, los hombres no pueden hacerlo y por eso es necesario que llegue el Mesías».[33] La versión de Benjamin es: «Hay un proverbio jasídico sobre el mundo venidero que dice que allí todo estará dispuesto igual que aquí. Así como es nuestra habitación ahora, así será también en el mundo venidero; donde ahora duerme nuestro niño, ahí dormirá también en el mundo venidero. Todo será igual que aquí — solo un poco distinto».[34] En el mundo venidero todo será tal como es ahora —no llegará nada nuevo—, solo un poco distinto. Sigue viéndose oscuro qué habría que entender por este «poco distinto». ¿Podría significar que las cosas en el mundo por venir se relacionarán las unas con las otras de una manera completamente diferente, que entablarán una nueva relación?

Un fragmento de Novalis puede leerse al modo de aquella parábola del rabino cabalista: «En el mundo *futuro* todo es como en el mundo *de antaño* — y, no obstante, *todo es completamente diferente*».[35] El mundo futuro, en lo referente a los hechos reales, es completamente idéntico al de antaño. No se añade nada nuevo y nada es eliminado. No obstante, en el mundo futuro todo es *completamente diferente*. A diferencia del rabino cabalista, Novalis sí da a entender cómo podría ser ese mundo futuro. En el mismo fragmento, Novalis habla, curiosamente, de «caos *racional*». Lo que caracteriza al mundo futuro es un desorden, pero de orden racional. Nada está aislado de lo demás. Nada persiste en sí mismo. Nada se afirma a sí mismo. No hay fronteras fijas que separen las cosas unas de otras. Estas se abren las unas a las otras. También podemos decir: se vuelven mutuamente *amables*. Su *sonrisa amable* afloja las trabas de la identidad. Se funden unas con otras y se entremezclan. El mundo resplandece en un *desorden amable*, en el «caos *racional*».

La *sociedad venidera* de Novalis se basa en un *êthos de la amabilidad* que disipa el aislamiento, las divisiones y los distanciamientos. Es una época de reconciliación y de paz. En los *Discípulos en Sais*, el autor escribe: «Pronto advirtió las combinaciones que unían todas las cosas, las similitudes, las coincidencias. A poco, ya no vio nada aisladamente. Las percepciones de sus sentidos se agolpaban en grandes y variadas imágenes. Oía, veía, tocaba y pensaba a un tiempo. Se complacía en unir cosas dispares. Ora las estrellas parecíanle hombres, ora los hombres parecíanle estrellas; las piedras, animales; y las nubes, plantas».[36] En el reino de paz por venir se reconciliarán el ser humano y la naturaleza. El ser humano ya no será más que un *conciudadano* de una *república de seres vivos* a la cual también pertenecerán las plantas, los animales, las piedras, las nubes y las estrellas.

NOTAS

CONSIDERACIONES SOBRE LA INACTIVIDAD

1 Friedrich Nietzsche, *Menschliches, Allzumenschliches, Kritische Studienausgabe*, vol. 2, G. Colli y M. Montinari, eds., Berlín y Nueva York, DTV-de Gruyter, 1988, p. 231. [Traducción extraída de: Friedrich Nietzsche, *Humano, demasiado humano*, vol. 1, Madrid, Akal, 2001, p. 179, trad. de Alfredo Brotons].

2 Karl Kerényi, *Antike Religion*, Múnich y Viena, Langen Müller, 1971, p. 62. [Traducción extraída de: Karl Kerényi, *La religión antigua*, Barcelona, Herder, 1999, p. 49, trad. de Adan Kovacsis y Mario León].

3 Theodor W. Adorno, *Gesammelte Schriften*, vol. 7, R. Tiedemann, ed., Frankfurt, Suhrkamp, 1970, p. 437 y s. [Traducción extraída de: Theodor W. Adorno, *Teoría estética, Obra completa*, 7, Madrid, Akal, 2004, p. 390, trad. de Jorge Navarro Pérez].

4 Guy Debord, *Die Gesellschaft des Spektakels*, Berlín, Tiamat, 1996, p. 100. [Traducción extraída de: Guy Debord, *La sociedad del espectáculo*, Valencia, Pre-Textos, 2002, p. 136, trad. de José Luis Pardo].

5 *Ibid.*, p. 101. [*Ibid.*, p. 137].

6   T. W. Adorno, *Minima Moralia. Reflexionen aus dem beschädigten Leben*, Gesammelte Schriften, op. cit., vol. 4, Frankfurt, Suhrkamp, 1980, p. 135. [Traducción extraída de: Theodor W. Adorno, *Minima Moralia. Reflexiones desde la vida dañada*, Obra completa, vol. 4, Madrid, Akal, 2004, §77, p. 124, trad. de Joaquín Chamorro Mielke].

7   Walter Benjamin, *Das Passagen-Werk*, Gesammelte Schriften, vol. 5, Frankfurt, Suhrkamp, 1991, p. 536. [Traducción extraída de: Walter Benjamin, *Libro de los pasajes*, Madrid, Akal, 2005, p. 430, trad. de Luis Fernández Castañeda].

8   *Ibid.*, p. 1053. [*Ibid.*, p. 872].

9   Giorgio Agamben, *Nacktheiten*, Frankfurt, S. Fischer, 2010, p. 185. [Traducción extraída de: Giorgio Agamben, *Desnudez*, Buenos Aires, Adriana Hidalgo, 2011, p. 163, trad. de Mercedes Ruvituso y María Teresa D'Meza].

10 Gaston Bachelard, *Psychologie des Feuers*, Múnich, Hanser, 1985, p. 22 y s. [Traducción extraída de: Gaston Bachelard, *Psicoanálisis del fuego*, Madrid, Alianza, 1966, pp. 29 y s., trad. de Ramón G. Redondo].

11 Cf. K. Kerényi, *Antike Religion*, op. cit., p. 48. [*Ibid.*, p. 40].

12 G. Agamben, *Nacktheiten*, op. cit., pp. 177 y s. [*Ibid.*, p. 157].

13 *Ibid.*, p. 178 [*Ibid.*, p. 157].

14 Walter Benjamin, *Denkbilder*, en Gesammelte Schriften, vol. 4, Frankfurt, Suhrkamp, 1991, pp. 305-438; aquí, pp. 376 y s. [Traducción extraída de: Walter Benjamin, *Cuadros de un pensamiento*, Buenos Aires, Imago Mundi, 2013, p. 88, trad. de Susana Mayer].

15 *Ibid.* [*Ibid.*, p. 89].
16 Marcel Proust, *Auf der Suche nach der verlorenen Zeit*, vols. 1-7, Frankfurt, Suhrkamp, 1994, p. 2578. [Traducción extraída de: Marcel Proust, *En busca del tiempo perdido*, vols. 1-7, Buenos Aires, Pluma y Papel, 1999, trads. de Pedro Salinas, José María Quiroga Plá y Consuelo Berges, vol. 4, p. 115, trad. de Consuelo Berges].
17 *Ibid.*, pp. 4543 y s. [*Ibid.*, (Consuelo Berges): vol. 7, p. 193].
18 *Ibid.*, p. 3625. [*Ibid.*, (Consuelo Berges): vol. 5, p. 300].
19 *Ibid.*, p. 4511 (énfasis de B. Han). [*Ibid.*, (Consuelo Berges): vol. 7, p. 170].
20 W. Benjamin, *Das Passagen-Werk*, *op. cit.*, p. 161. [*Ibid.*, p. 873].
21 Walter Benjamin, *Gesammelte Schriften*, vol. 2, Frankfurt, Suhrkamp, 1991, p. 446. [Traducción extraída de: Walter Benjamin, *Iluminaciones IV. Para una crítica de la violencia y otros ensayos*, Madrid, Taurus, 2001, p. 118, trad. de Roberto Blatt].
22 Martin Heidegger, *Unterwegs zur Sprache*, Pfullingen, Günther Neske, 1959, p. 159. [Traducción extraída de: Martin Heidegger, *De camino al habla*, Barcelona, Ediciones del Serbal, 1987, p. 143, trad. de Yves Zimmermann].
23 W. Benjamin, *Gesammelte Schriften*, vol. 2, *op. cit.*, p. 1287.
24 Maurice Blanchot, *Warten Vergessen*, Frankfurt, Suhrkamp, 1964, p. 39. [Hay trad. cast.: Maurice Blanchot, *La espera el olvido*, Madrid, Arena, 2004, trad. de Isidro Herrera].
25 Maurice Blanchot, *Der literarische Raum*, Zúrich-Berlín, Diaphanes, 2012, p. 16. [Traducción extraída de: Maurice

Blanchot, *El espacio literario*, Madrid, Editora Nacional, 2002, p. 20, trad. de Vicky Palant y Jorge Jinkis].
26 *Ibid.*, p. 91. [*Ibid.*, p. 80].
27 F. Nietzsche, *Nachgelassene Fragmente 1884-1885*, *Kritische Studienausgabe*, *op. cit.*, vol. 11, p. 228. [Traducción extraída de: Friedrich Nietzsche, *Fragmentos póstumos. Volumen III (1882-1885)*, Madrid, Tecnos, p. 588, trad. de Diego Sánchez Meca y Jesús Conill].
28 Heinrich von Kleist, «Über das Marionettentheater», en *Sämtliche Werke und Briefe*, H. Sembdner, ed., Múnich, Hanser, 1970, vol. 2, pp. 338-345; aquí, p. 345. [Traducción extraída de: Heinrich von Kleist, «Sobre el teatro de marionetas», en *Sobre el teatro de marionetas y otros ensayos de arte y filosofía*, Madrid, Hiperión, 1988, pp. 27-36; aquí, p. 36, trad. de Jorge Riechmann].
29 W. Benjamin, *Denkbilder*, *op. cit.*, pp. 406 y s. [*Ibid.*, p. 126].
30 *Ibid.*, p. 407. [*Ibid.*, p. 127].
31 Roland Barthes, *Mut zur Faulheit*, en *Die Körnung der Stimme. Interviews 1962-1980*, Frankfurt, Suhrkamp, 2002, pp. 367-374; aquí, p. 371. [Hay trad. cast.: Roland Barthes, *El grano de la voz: Entrevistas 1962-1980*, Buenos Aires, Siglo XXI, 2005, trad. de Nora Pasternac].
32 *Ibid.*
33 Walter Benjamin, *Berliner Kindheit um Neunzehnhundert*, en *Gesammelte Schriften*, vol. 4, Frankfurt, Suhrkamp, 1991, pp. 235-304; aquí, pp. 262 y s. [Traducción extraída de: Walter Benjamin, «Mummerehlen», *Infancia en Berlín hacia 1900*, Madrid, Alfaguara, 1982, pp. 67-68, trad. de Klaus Wagner].

34 Walter Benjamin, *Gesammelte Schriften*, vol. 6, Frankfurt, Suhrkamp, 1991, p. 194. [Traducción extraída de: Walter Benjamin, *Obras*, libro VI, «Fragmentos de contenido misceláneo», Madrid, Abada, 2017, p. 272, trad. de Alfredo Brotons Muñoz].
35 W. Benjamin, *Passagen-Werk*, *op. cit.*, p. 161 (énfasis de B. Han). [*Ibid.*, p. 131].
36 W. Benjamin, *Gesammelte Schriften*, vol. 4, *op. cit.*, p. 741. [Traducción extraída de: Walter Benjamin, *Obras*, libro IV, vol. 2, «Historias y relatos», «El pañuelo», Madrid, Abada, 2010, pp. 172-173, trad. de Jorge Navarro Pérez].
37 F. Nietzsche, *Nachgelassene Fragmente 1880-1882*, *Sämtliche Werke, Kritische Studienausgabe*, *op. cit.*, vol. 9, p. 24. [Traducción extraída de: Friedrich Nietzsche, *Fragmentos póstumos. Volumen II (1875-1882)*, Madrid, Tecnos, p. 500, trad. de Manuel Barrios y Jaime Aspiunza].
38 Gilles Deleuze, «Mediators», en *Negotiations*, Nueva York, Columbia University Press, 1995, pp. 121-134; aquí, p. 129, citado en M. Hardt y A. Negri, *Demokratie! Wofür wir kämpfen*, Frankfurt, Campus, 2013, p. 21. [Traducción extraída de: Gilles Deleuze, «Los intercesores», en *Conversaciones 1972-1990*, Valencia, Pre-Textos, 1999, pp. 193-214; aquí, pp. 206 y s., trad. de José Luis Pardo].
39 F. Nietzsche, *Menschliches, Allzumenschliches*, *op. cit.*, p. 231. [*Ibid.*, p. 179].
40 *Ibid.*, p. 232. [*Ibid.*, p. 180].
41 Giorgio Agamben, *Herrschaft und Herrlichkeit. Zur theologischen Genealogie von Ökonomie und Regierung*, Berlín, Suhrkamp, 2010, p. 300. [Traducción extraída de: Giorgio

Agamben, *El Reino y la Gloria. Una genealogía teológica de la economía y del gobierno*, Buenos Aires, Adriana Hidalgo, 2008, p. 438, trad. de Flavia Costa, Edgardo Castro y Mercedes Ruvituso].

42 Entrevista en *Die Zeit* del 12 de julio de 2012.

43 Karl Marx, *Grundrisse der Kritik der politischen Ökonomie*, MEW, vol. 42, p. 545. [Traducción extraída de: Karl Marx, *Elementos fundamentales para la crítica de la economía política (Grundrisse) 1857-1858*, vol. 2, México, Siglo XXI, 2007, p. 167, trad. de Pedro Scaron].

44 *Ibid.* [*Ibid.*, p. 167].

45 Gilles Deleuze, «Die Immanenz: ein Leben...», en *Gilles Deleuze – Fluchtlinien der Philosophie*, F. Balke y J. Vogl, eds., Múnich, W. Fink, 1996, pp. 29-33; aquí, p. 30. [Traducción extraída de: Gilles Deleuze, «La inmanencia: una vida...», en *Contrastes. Revista interdisciplinar de filosofía*, vol. VII, Málaga, Universidad de Málaga, 2002, pp. 233-236; aquí, p. 234].

46 Gilles Deleuze y Félix Guattari, *Was ist Philosophie?*, Frankfurt, Suhrkamp, 1996, p. 254. [Traducción extraída de: Gilles Deleuze y Félix Guattari, *¿Qué es la filosofía?*, Barcelona, Anagrama, 1993, p. 215, trad. de Thomas Kauf].

47 Peter Handke, *Versuch über die Müdigkeit*, Frankfurt, Suhrkamp, 1992, p. 76. [Traducción extraída de: Peter Handke, *Ensayo sobre el cansancio*, Madrid, Alianza, 1991, p. 82, trad. de Eustaquio Barjau].

48 *Ibid.*, p. 74. [*Ibid.*, p. 80].

49 Robert Musil, *Der Mann ohne Eigenschaften*, Adolf Frisé, ed., Reinbek, Rowohlt, 1978, p. 1234. [Hay trad.

cast.: Robert Musil, *El hombre sin atributos*, 2 vols., Barcelona, Seix Barral, 2004, trad. de José M. Sáenz revisada por Pedro Madrigal según la edición establecida por Adolf Frisé en 1978].
50 *Ibid.*, p. 762.
51 P. Handke, *Versuch über die Müdigkeit, op. cit.*, p. 68. [*Ibid.*, pp. 74-75].
52 Peter Handke, *Die Geschichte des Bleistifts*, Suhrkamp, Frankfurt, 1985, p. 235. [Traducción extraída de: Peter Handke, *Historia del lápiz. Materiales sobre el presente*, Barcelona, Península, 1991, p. 149, trad. de José Antonio Alemany].
53 Paul Cézanne, *Über die Kunst. Gespräche mit Gasquet. Briefe*, Hamburgo, Rowholt, 1957, pp. 10 y s. [Traducción extraída de: Joachim Gasquet, *Cézanne. Lo que vi y lo que me dijo*, Madrid, Gadir, 2010, p. 165, trad. de Carlos Manzano].
54 *Ibid.*, p. 38. [*Ibid.*, p. 206].
55 *Ibid.*, p. 66. [*Ibid.*, pp. 247 y s.].
56 *Ibid.*, p. 14. [*Ibid.*, p. 170].
57 *Ibid.*, p. 66. [*Ibid.*, p. 248].
58 Maurice Merleau-Ponty, *Sinn und Nicht-Sinn*, Múnich, W. Fink, 2000, p. 22 (énfasis de B. Han). [Traducción extraída de: Maurice Merleau-Ponty, *Sentido y sinsentido*, Barcelona, Península, 1977, p. 43, trad. de Narcís Comadira].
59 P. Cézanne, *Über die Kunst, op. cit.*, p. 19. [*Ibid.*, p. 177].
60 *Ibid.*, p. 9. [*Ibid.*, pp. 163 y s.].
61 Lorenz Dittmann, «Zur Kunst Cézannes», en *Festschrift Kurt Badt zum siebzigsten Geburtstage*, Martin Gose-

bruch, ed., Berlín, de Gruyter, 1961, pp. 190-212; aquí, p. 196 (énfasis de B. Han).

UNA NOTA MARGINAL A PROPÓSITO DE ZHUANGZI

1   Zhuangzi, *Das wahre Buch vom südlichen Blütenland*, trad. de Richard Wilhelm, Jena, Eugen Diederichs, 1912, p. 23. [Traducción extraída de: Zhuangzi, *Los Capítulos Interiores de Zhuang Zi*, Madrid, Trotta-Unesco, 1998, pp. 69-70, trad. de Pilar González España y Jean Claude Pastor-Ferrer].
2   Masanobu Fukuoka, *Der Große Weg hat kein Tor*, Darmstadt, Pala, 2013, p. 52. [Traducción extraída de: Masanobu Fukuoka, *La revolución de una brizna de paja. Una introducción a la agricultura natural*, Olba, EcoHabitar, 2011, p. 17, trad. del Instituto Permacultura Montsant].
3   *Ibid.*, p. 71. [*Ibid.*, p. 26].
4   Martin Heidegger, *Vorträge und Aufsätze*, Pfullingen, Günther Neske, 1954, p. 94. [Traducción extraída de: Martin Heidegger, *Conferencias y artículos*, Barcelona, Ediciones del Serbal, 1994, p. 88, trad. de Eustaquio Barjau].

DE LA ACCIÓN AL SER

1   Hannah Arendt, *Zwischen Vergangenheit und Zukunft. Übungen im politischen Denken I*, Múnich, Piper, 2012, p. 78.
2   *Ibid.*, p. 79.

3   W. Benjamin, *Passagen-Werk*, *op. cit.*, p. 592. [*Ibid.*, p. 476].
4   *Ibid.*, p. 676. [*Ibid.*, p. 559].
5   M. Heidegger, *Vorträge und Aufsätze*, *op. cit.*, p. 64. [*Ibid.*, p. 59].
6   Martin Heidegger, *Überlegungen II-VI. Schwarze Hefte 1931-1938*, Gesamtausgabe, vol. 94, Frankfurt, Vittorio Klostermann, 2014, p. 447. [Traducción extraída de: Martin Heidegger, *Cuadernos negros (1931-1938). Reflexiones II-VI*, Madrid, Trotta, 2015, p. 350, trad. de Alberto Ciria].
7   Martin Heidegger, *Beiträge zur Philosophie*, Gesamtausgabe, vol. 65, Frankfurt, Vittorio Klostermann, 1989, p. 22. [Traducción extraída de: Martin Heidegger, *Aportes a la filosofía. Acerca del evento*, Buenos Aires, Biblos, 2003, p. 36, trad. de Dina V. Picotti].
8   Martin Heidegger, *Was heißt Denken?*, Tubinga, M. Niemeyer, 1971, p. 173. [Traducción extraída de: Martin Heidegger, *¿Qué significa pensar?*, Madrid, Trotta, 2005, p. 230, trad. de Raúl Gabás].
9   M. Heidegger, *Unterwegs zur Sprache*, *op. cit.*, p. 208. [*Ibid.*, pp. 186 y s.].
10 *Ibid.*, p. 199. [*Ibid.*, p. 178].
11 Martin Heidegger, *Feldweg-Gespräche (1944/45)*, Gesamtausgabe, vol. 77, Frankfurt, Vittorio Klostermann, 1995, p. 227.
12 *Ibid.*, p. 226.
13 M. Heidegger, *Vorträge und Aufsätze*, *op. cit.*, p. 66. [*Ibid.*, p. 60].
14 Martin Heidegger, *Sein und Zeit*, Tubinga, M. Niemeyer, 1979, p. 137. [Traducción extraída de: Martin Heideg-

ger, *Ser y tiempo*, Madrid, Trotta, 2012, p. 137, trad. de Jorge Eduardo Rivera].
15 Martin Heidegger, *Was ist das – die Philosophie?*, Pfullingen, Günther Neske, 1956, p. 23. [Traducción extraída de: Martin Heidegger, *¿Qué es la filosofía?*, Barcelona, Herder, 2004, trad. de Jesús Adrián Escudero].
16 M. Heidegger, *Beiträge zur Philosophie*, *op. cit.*, p. 21. [Trad. cast.: M. Heidegger, *Aportes a la filosofía, op. cit.*, p. 35].
17 *Ibid.* [Trad. cast.: p. 35].
18 M. Heidegger, *Was ist das – die Philosophie?*, *op. cit.*, p. 26. [*Ibid.*].
19 Martin Heidegger, *Aus der Erfahrung des Denkens 1910-1976*, *Gesamtausgabe*, vol. 13, Frankfurt, Vittorio Klostermann, 1983, p. 68. [Traducción extraída de: Martin Heidegger, «Debate en torno al lugar de la serenidad. De un diálogo sobre el pensamiento en un camino de campo», en *Serenidad*, Barcelona, Ediciones del Serbal, 2002, p. 77, trad. de Ives Zimmermann].
20 *Ibid.*, p. 90. [Traducción extraída de: Martin Heidegger, «El camino del campo», en *Experiencias del pensar (1910-1976)*, Madrid, Abada, 2014, p. 50, trad. de Francisco de Lara].
21 Martin Heidegger, *Wegmarken*, Frankfurt, Vittorio Klostermann, 1967, p. 148. [Traducción extraída de: Martin Heidegger, *Hitos*, Madrid, Alianza, 2001, p. 261, trad. de Helena Cortés y Arturo Leyte].
22 M. Heidegger, *Vorträge und Aufsätze*, *op. cit.*, p. 144. [*Ibid.*, p. 132].
23 *Ibid.*, pp. 143 y s. [*Ibid.*, p. 131].

24 Martin Heidegger, *Hölderlins Hymne «Andenken»*, *Gesamtausgabe*, vol. 52, Frankfurt, Vittorio Klostermann, 1982, p. 75.
25 M. Heidegger, *Überlegungen II-VI. Schwarze Hefte 1931-1938*, *op. cit.*, p. 232. [*Ibid.*, p. 184].
26 M. Heidegger, *Sein und Zeit*, *op. cit.*, p. 187. [*Ibid.*, p. 206].
27 *Ibid.*, pp. 126 y s. [*Ibid.*, p. 146].
28 Martin Heidegger, *Die Grundbegriffe der Metaphysik. Welt-Endlichkeit-Einsamkeit*, *Gesamtausgabe*, vols. 29-30, Frankfurt, Vittorio Klostermann, 1983, pp. 211 y s. [Traducción extraída de: Martin Heidegger, *Los conceptos fundamentales de la metafísica: mundo, finitud, soledad*, Madrid, Alianza, 2007, p. 183, trad. de Alberto Ciria].
29 *Ibid.*, pp. 223 y s. [*Ibid.*, p. 192].
30 Cf. Byung-Chul Han, *Tod und Alterität*, Múnich, W. Fink, 2002. [Hay trad. cast.: Byung-Chul Han, *Muerte y alteridad*, Barcelona, Herder, 2018, trad. de Alberto Ciria].
31 M. Heidegger, *Hölderlins Hymne «Andenken»*, *op. cit.*, p. 64.
32 M. Heidegger, *Wegmarken*, *op. cit.*, p. 8. [*Ibid.*, p. 98].
33 M. Heidegger, *Hölderlins Hymne «Andenken»*, *op. cit.*, p. 67.
34 Martin Heidegger, *Reden und andere Zeugnisse eines Lebensweges*, *Gesamtausgabe*, vol. 16, Frankfurt, Vittorio Klostermann, 2000, p. 731. [Traducción extraída de: Martin Heidegger, «Rememoración pensante de Marcelle Mathieu», en *Experiencias del pensar (1910-1976)*, *op. cit.*, p. 194].
35 M. Heidegger, *Hölderlins Hymne «Andenken»*, *op. cit.*, p. 128.
36 M. Heidegger, *Reden und andere Zeugnisse eines Lebensweges*, *op. cit.*, p. 732. [*Ibid.*, p. 194].
37 M. Heidegger, *Feldweg-Gespräche*, *op. cit.*, p. 180.

38 M. Heidegger, *Reden und andere Zeugnisse eines Lebensweges, op. cit.*, p. 732. [*Ibid.*, p. 194].

LA ABSOLUTA FALTA DE SER

1   H. Arendt, *Zwischen Vergangenheit und Zukunft, op. cit.*, p. 76.
2   Niklas Luhmann, Entscheidungen in der «Informationsgesellschaft», <https://www.fen.ch/texte/gast_luhmann_informationsgesellschaft.htm>.
3   F. Nietzsche, *Nachgelassene Fragmente 1869-1874, Sämtliche Werke, Kritische Studienausgabe, op. cit.*, vol. 7, p. 710. [Traducción extraída de: Friedrich Nietzsche, *Fragmentos póstumos. Volumen I (1869-1874)*, Madrid, Tecnos, p. 544, trad. de Luis E. de Santiago Guervós].
4   Hans-Georg Gadamer, *Die Aktualität des Schönen. Kunst als Spiel, Symbol und Fest*, Stuttgart, 1977, pp. 42 y s. [Traducción extraída de: Hans-Georg Gadamer, *La actualidad de lo bello. El arte como juego, símbolo y fiesta*, Barcelona, Paidós, 1991, p. 85, trad. de Antonio Gómez Ramos].
5   Citado en: K. Kerényi, *Antike Religion, op. cit.*, p. 113. [*Ibid.*, p. 84].
6   Cf. Diógenes Laercio, II, 10.
7   Cf. Homero, *Ilíada*, 18, 61.
8   Citado en Josef Pieper, *Glück und Kontemplation*, Múnich, Kösel, 1957, p. 97. [Traducción extraída de: Josef Pieper, «Felicidad y contemplación», en *El ocio y la vida intelectual*, Madrid, Rialp, 2017, trad. de Alberto Pérez Masegosa, Manuel Salcedo, Lucio García Ortega y Ramón Cercós].

9 Tomás de Aquino, *Summa theologica*, II. II., quaest. 180, art. 4.
10 Citado en: J. Pieper, *Glück und Kontemplation*, *op. cit.*, p. 65. [*Ibid.*].
11 *Ibid.*, pp. 97 y s.
12 Agustín, *La ciudad de Dios*, XXII, 30.
13 J. Pieper, *Glück und Kontemplation*, *op. cit.*, p. 73. [*Ibid.*].
14 Rainer Maria Rilke, *Sämtliche Werke*, Rilke-Archiv, ed., Wiesbaden, Insel, 1957, vol. 2, p. 249.
15 R. M. Rilke, *Sämtliche Werke*, *op. cit.*, vol. 1, p. 735. [Traducción extraída de: Rilke, *Elegías de Duino. Los Sonetos a Orfeo*, Madrid, Cátedra, 1987, p. 140, trad. de Eustaquio Barjau].
16 *Ibid.*, p. 709. [*Ibid.*, p. 98].
17 *Ibid.* [*Ibid.*, p. 98].
18 K. Kerényi, *Antike Religion*, *op. cit.*, p. 47. [*Ibid.*, p. 39].
19 *Ibid.*, p. 62 (énfasis de B. Han). [*Ibid.*, p. 49].
20 H.-G. Gadamer, *Aktualität des Schönen*, *op. cit.*, p. 52. [*Ibid.*, p. 99].
21 K. Kerényi, *Antike Religion*, *op. cit.*, p. 111. [*Ibid.*, p. 83].
22 Citado en Hannelore Rausch, *Theoria. Von ihrer sakralen zur philosophischen Bedeutung*, Múnich, W. Fink, 1982, p. 17.
23 K. Kerényi, *Antike Religion*, *op. cit.*, p. 111. [*Ibid.*, p. 83].
24 Aristóteles, *Nikomachische Ethik*, 1178b, trad. de O. Gigon. [Traducción extraída de: Aristóteles, *Ética nicomáquea*, en *Ética nicomáquea. Ética eudemia*, Madrid, Gredos, pp. 399 y s., trad. de Julio Pallí Bonet].
25 *Ibid.*, 1177a. [*Ibid.*, p. 396].
26 Citado en J. Pieper, *Glück und Kontemplation*, *op. cit.*, p. 108. [*Ibid.*].

EL *PÁTHOS* DE LA ACCIÓN

1 Vilém Flusser, *Kommunikologie weiter denken*, Frankfurt, Fischer, 2009, p. 236.
2 Abraham J. Heschel, *Der Sabbat*, Neukirchen-Vluyn, 1990, p. 14. [Traducción extraída de: Abraham J. Heschel, *El Shabat. Su sentido para el hombre moderno*, en *La tierra es del Señor. El Shabat*, Buenos Aires, Seminario Rabínico Latinoamericano, 1984, p. 138, trad. de Eugenia Lublin].
3 *Raschi-Kommentar zu den fünf Büchern Moses*, trad. de Julius Dessauer, Budapest, editado por el autor, 1887, p. 5. [Traducción extraída de: *La Torá con Rashí. El Pentateuco con el comentario de Rabí Shelomó Itzjakí (Rashí)*, México, Jerusalén, 2001, p. 28, trad. de Aryeh Coffman].
4 A. J. Heschel, *Der Sabbat, op. cit.*, p. 47. [*Ibid.*, p. 173].
5 H. Arendt, *Zwischen Vergangenheit und Zukunft, op. cit.*, p. 247.
6 Hannah Arendt, *Vita activa oder Vom tätigen Leben*, Múnich, Piper, 1981, p. 216.
7 *Ibid.*, p. 190.
8 *Ibid.*, p. 192.
9 V. Flusser, *Kommunikologie weiter denken, op. cit.*, p. 237.
10 Tonio Hölscher, «Die griechische Polis und ihre Räume: Religiöse Grenzen und Übergänge», en *Grenzen in Ritual und Kult der Antike*, Martin A. Guggisberg, ed., Basilea, Schwabe, 2013, pp. 47-68; aquí, p. 54.
11 Martin Heidegger, *Zu Hölderlin. Griechenlandreisen, Gesamtausgabe*, vol. 75, Frankfurt, Vittorio Klostermann, 2000, p. 251.
12 H. Arendt, *Vita activa oder Vom tätigen Leben, op. cit.*, p. 43.

13 Judith N. Shklar, *Über Hannah Arendt*, Berlín, Matthes & Seitz, 2020, p. 102.
14 Platón, *Apologie*, 31d-e, trad. de F. Schleiermacher. [Traducción extraída de: Platón, *Apología de Sócrates*, en: *Diálogos I*, Madrid, Gredos, 1985, p. 171, trad. de Julio Calonge Ruiz].
15 Hannah Arendt, *Über die Revolution*, Múnich, Piper, 2011, p. 362.
16 H. Arendt, *Vita activa oder Vom tätigen Leben*, *op. cit.*, p. 37.
17 *Ibid.*, p. 165.
18 H. Arendt, *Über die Revolution*, *op. cit.*, pp. 40 y s.
19 Hannah Arendt, *Freiheit, frei zu sei*, Múnich, DTV, 2018, p. 32. [Traducción extraída de: Hannah Arendt, *La libertad de ser libres*, Barcelona, Taurus, 2018, p. 41, trad. de Teófilo de Lozoya].
20 *Ibid..*, p. 24. [*Ibid.*, p. 32].
21 *Ibid..*, p. 25. [*Ibid.*, p. 33].
22 Seyla Benhabib, *Hannah Arendt. Die melancholische Denkerin der Moderne*, Frankfurt, Suhrkamp, 2006, p. 248.
23 Hannah Arendt, *Die Ungarische Revolution und der totalitäre Imperialismus*, Múnich, Piper, 1958, p. 41 y s.
24 H. Arendt, *Über die Revolution*, *op. cit.*, p. 82.
25 H. Arendt, *Zwischen Vergangenheit und Zukunft*, *op. cit.*, p. 249.
26 H. Arendt, *Über die Revolution*, *op. cit.*, p. 145.
27 H. Arendt, *Zwischen Vergangenheit und Zukunft*, *op. cit.*, pp. 249 y s.
28 Jean Ziegler, *Wir lassen sie verhungern. Die Massenvernichtung in der Dritten Welt*, Múnich, C. Bertelsmann, 2012, p. 15.

29 H. Arendt, *Freiheit, frei zu sein, op. cit.*, p. 36 [*Ibid.*].
30 H. Arendt, *Vita activa oder Vom tätigen Leben, op. cit.*, p. 243.
31 H. Arendt, *Über die Revolution, op. cit.*, p. 56 y s.
32 Søren Kierkegaard, *Die Wiederholung*, Hamburgo, Rowohlt, 1961, p. 8. [Traducción extraída de: Søren Kierkegaard, *La repetición*, Madrid, Alianza, 2009, pp. 28 y s., trad. de Demetrio Gutiérrez Rivero].
33 H. Arendt, *Zwischen Vergangenheit und Zukunft, op. cit.*, p. 224.
34 *Ibid.*, p. 225.
35 *Ibid.*
36 F. Nietzsche, *Die fröhliche Wissenschaft, Gesammelte Werke, Kritische Studienausgabe, op. cit.*, vol. 3, p. 376. [Traducción extraída de: Friedrich Nietzsche, *La ciencia jovial*, Caracas, Monte Ávila, 1990, p. 30, trad. de José Jara].
37 H. Arendt, *Vita activa oder Vom tätigen Leben, op. cit.*, p. 42.
38 M. Heidegger, *Sein und Zeit, op. cit.*, p. 294. [*Ibid.*, p. 310].
39 H. Arendt, *Vita activa oder Vom tätigen Leben, op. cit.*, p. 42.
40 *Ibid.*
41 Michel Foucault, *Überwachen und Strafen. Die Geburt des Gefängnisses*, Frankfurt, Suhrkamp, 1977, p. 173. [Traducción extraída de: Michel Foucault, *Vigilar y castigar*, Buenos Aires, Siglo XXI, 2002, p. 139, trad. de Aurelio Garzón del Camino].
42 H. Arendt, *Vita activa oder Vom tätigen Leben, op. cit.*, p. 169.
43 Platón, *Apologie*, 31c-d, trad. de F. Schleiermacher. [*Ibid.*, pp. 170 y s.].
44 Giorgio Agamben, *Profanierungen*, Frankfurt, Suhrkamp, 2005, p. 7. [Traducción extraída de: Giorgio

Agamben, *Profanaciones*, Buenos Aires, Adriana Hidalgo, 2005, p. 8, trad. de Flavia Costa y Edgardo Castro].
45 *Ibid.*, p. 9. [*Ibid.*, p. 9].
46 *Ibid.*, p. 10. [*Ibid.*, p. 10].
47 *Ibid.*, p. 11. [*Ibid.*, p. 11].
48 H. Arendt, *Vita activa oder Vom tätigen Leben*, *op. cit.*, p. 121.
49 G. Agamben, *Profanierungen*, *op. cit.*, p. 9. [*Ibid.*, p. 10].
50 *Ibid.*, p. 10. [*Ibid.*, p. 10].
51 H. Arendt, *Vita activa oder Vom tätigen Leben*, *op. cit.*, p. 26.
52 *Ibid.*, p. 25.
53 *Ibid.*
54 Platón, *Politia*, 517a, trad. de F. Schleiermacher. [Traducción extraída de: Platón, *República*, Buenos Aires, Losada, 2005, p. 450, trad. de Marisa Divenosa y Claudia Mársico].
55 H. Arendt, *Vita activa oder Vom tätigen Leben*, *op. cit.*, p. 317.
56 Citado en Alois M. Haas, «Die Beurteilung der Vita contemplativa und activa in der Dominikanermystik des 14. Jahrhunderts», en *Arbeit Musse Meditation*, B. Vickers, ed., Zúrich, Fachvereine, 1985, pp. 109-131; aquí, p. 113.

LA SOCIEDAD QUE VENDRÁ

1 Friedrich Schleiermacher, *Über die Religion. Reden an die Gebildeten unter ihren Verächtern*, G. Meckenstock, ed., Berlín y Nueva York, W. de Gruyter, 2001, p. 79. [Traducción extraída de: Friedrich Schleiermacher, *Sobre la*

religión, Madrid, Tecnos, 1990, p. 35, trad. de Arsenio Ginzo Fernández].
2   Ibid., p. 68. [Ibid., p. 19].
3   Ibid., p. 112. [Ibid., p. 82].
4   Friedrich Hölderlin, *Hyperion oder der Eremit im Griechenland*, Stuttgart, Reclam, 2013, p. 9. [Traducción extraída de: Friedrich Hölderlin, *Hiperión o el eremita en Grecia*, Madrid, Hiperión, 2014, p. 25, trad. de Jesús Munárriz].
5   F. Schleiermacher, *Über die Religion*, op. cit., p. 114. [Ibid., p. 86].
6   Friedrich Hölderlin, *Sämtliche Werke*, F. Beissner, ed., vol. III, Stuttgart, Cotta, 1958, p. 236. [Traducción extraída de: Friedrich Hölderlin, *Hiperión. Versiones previas*, Madrid, Hiperión, 1989, pp. 148 y s., trad. de Anacleto Ferrer].
7   Ibid. [Ibid., p. 149].
8   F. Schleiermacher, *Über die Religion*, op. cit., p. 79. [Ibid., p. 35].
9   F. Hölderlin, *Sämtliche Werke*, op. cit., vol. III, p. 236. [Ibid., p. 149].
10 Ibid. [Ibid., p. 148].
11 M. Heidegger, *Hölderlins Hymne «Andenken»*, op. cit., p. 177.
12 F. Hölderlin, *Sämtliche Werke*, op. cit., vol. III, p. 237. [Ibid., p. 149].
13 F. Schleiermacher, *Über die Religion*, op. cit., p. 86. [Ibid., p. 44].
14 F. Hölderlin, *Hyperion*, op. cit., p. 177. [Ibid., pp. 210 y s].
15 F. Schleiermacher, *Über die Religion*, op. cit., p. 80. [Ibid., p. 36].

16 Theodor W. Adorno, *Ästhetische Theorie, Gesammelte Schriften*, R. Tiedemann, ed., vol. 7, Frankfurt, Suhrkamp, 1970, p. 410. [Traducción extraída de: Theodor W. Adorno, *Teoría estética, Obra completa*, 7, Madrid, Akal, 2004, trad. de Jorge Navarro Pérez].
17 *Ibid.*
18 *Ibid.*, p. 114.
19 M. Heidegger, *Hölderlins Hymne «Andenken»*, *op. cit.*, p. 41.
20 F. Hölderlin, «In lieblicher Bläue», en F. Hölderlin, *Sämtliche Werke*, *op. cit.*, vol. II. 1, p. 372 y ss.
21 F. Hölderlin, *Hyperion*, *op. cit.*, p. 104. [*Ibid.*, p. 130].
22 Novalis, *Die Lehrlinge zu Sais*, en Novalis, *Schriften*, P. Kluckhohn y R. Samuel, eds., Stuttgart, Kohlhammer, 1960, vol. 1, pp. 71-111; aquí, p. 79. [Traducción extraída de: Novalis, *Los discípulos en Sais*, Madrid, Hiperión, 1988, p. 28, trad. de Félix de Azúa].
23 *Ibid.*, p. 99. [*Ibid.*, pp. 55 y s.].
24 Novalis, *Schriften*, *op. cit.*, vol. III, p. 650. [Traducción extraída de: Novalis, *La enciclopedia (Notas y fragmentos)*, Madrid, Fundamentos, 1996, p. 348, trad. de Fernando Montes].
25 Oskar Walzel, *Deutsche Romantik*, vol. 1: *Welt- und Kunstanschauung*, Leipzig, Teubner, 1918, p. 1.
26 Novalis, *Schriften*, *op. cit.*, vol. II, p. 533. [Traducción extraída de: VV. AA., *Fragmentos para una teoría romántica del arte*, Javier Arnaldo, ed., Madrid, Tecnos, 1994, p. 136].
27 *Ibid.*, p. 535. [Traducción extraída de: Novalis, *Escritos escogidos*, Ernst-Edmund Keil y Jenaro Talens, eds., Madrid, Visor, 2004, p. 105, trad. de Herta Schulze].

28 *Ibid.*, p. 545. [Traducción extraída de: VV. AA., *Fragmentos para una teoría romántica del arte, op. cit.*, p. 109].
29 Novalis, *Schriften, op. cit.*, vol. I, p. 193. [Traducción extraída de: Novalis, *Enrique de Ofterdingen*, en *Himnos a la noche. Enrique de Ofterdingen*, Madrid, Cátedra, 1998, p. 83, trad. de Eustaquio Barjau].
30 W. Benjamin, *Einbahnstraße*, en *Gesammelte Schriften*, vol. 4, *op. cit.*, pp. 83-148; aquí, pp. 146 y s. [Traducción extraída de: Benjamin, *Dirección única*, Madrid, Alfaguara, 1987, pp. 96 y s., trad. de Juan J. del Solar y Mercedes Allendesalazar].
31 Novalis, *Schriften, op. cit.*, vol. III, p. 519. [Traducción extraída de: Novalis, *La cristiandad o Europa*, en *Estudios sobre Fichte y otros escritos*, Madrid, Akal, 2007, p. 253, trad. de Robert Caner-Liese].
32 *Ibid.* [*Ibid.*, p. 253].
33 Giorgio Agamben, *Die kommende Gemeinschaft*, Berlín, Merve, 2003, p. 51. [Traducción extraída de: Giorgio Agamben, *La comunidad que viene*, Valencia, Pre-Textos, 1996, p. 36, trad. de José L. Villacañas y Claudio La Rocca].
34 W. Benjamin, *Denkbilder, op. cit.*, p. 419. [*Ibid.*, p. 133].
35 Novalis, *Schriften, op. cit.*, vol. III, p. 281. [Traducción extraída de: Novalis, *La enciclopedia, op. cit.*, p. 353].
36 Novalis, *Die Lehrlinge zu Sais, op. cit.*, p. 80. [*Ibid.*, p. 29].

Este libro
se terminó de imprimir en
Fuenlabrada, Madrid,
en el mes de noviembre de 2024